Is de bhunús Ostarach/Éireannach í Esther Göbl Uí Nualláin. Tá cónaí uirthi i Longfort lena fear céile John agus a bpáistí Saorlaith, Diarmaid agus Cian. Tá a gclann á tógáil le Gaeilge acu.

Is múinteoir í Esther i Meánscoil Mhuire, Longfort agus tá sí ina Cathaoirleach ar an eagraíocht náisiúnta Comhluadar. Is breá léi scéalta a scríobh dá páistí féin agus is as sin a d'fhás a spéis i scríobh do dhaoine óga eile. Chomh maith leis sin, scríobhann sí altanna i nGaeilge agus i mBéarla do nuachtáin agus irisí. Is é *Eachtraí Uchtaigh* an chéad leabhar óna peann.

Aithníonn Esther cúnamh agus tacaíocht Bhord na Leabhar Gaeilge, a thug deis traenála di faoi Scéim na nOidí leis an scríbhneoir Ré Ó Laighléis sa tréimhse Aibreán 2008 go hAibreán 2009. Is mian léi an t-ardmheas atá aici ar Ré a chur in iúl agus buíochas a ghabháil leis as cabhrú léi a scileanna scríbhneoireachta a fhorbairt.

Eachtraí Uchtaigh

Scéalta do dhaoine óga

Esther Göbl Uí Nualláin

Léaráidí le Emily Colenso

MÓINÍN

An Chéad Chló 2009, MÓINÍN
An Dara Cló 2009
Loch Reasca, Baile Uí Bheacháin, Co. an Chláir, Éire
Fón/Facs: (065) 707 7256
Ríomhphost: moinin@eircom.net
Idirlín: www.moinin.ie

Tá MÓINÍN buíoch de
Fhoras na Gaeilge
Foras na Gaeilge   as tacaíocht airgeadais a chur ar fáil.

Tá taifead catalóige i leith an leabhair seo ar fáil
i Leabharlann Náisiúnta na hÉireann agus i leabharlanna
éagsúla de Ollscoil na hÉireann.

Tá taifead catalóige CIP i leith an leabhair seo ar fáil
i Leabharlann na Breataine.

ISBN 978-0-9554079-9-4

Leagtha i bPalatino 13/16pt

Clóchur le Carole Devaney

Dearadh Clúdaigh, bunaithe ar léaráid de chuid
Emily Colenso, le Link Associates

Arna phriontáil agus cheangal ag Clódóirí Lurgan, Indreabhán, Co. na Gaillimhe

CLÁR

An Fhiacail Scaoilte

Is breá le Cian airgead. Suim mhór aige suim mhór airgid a bheith aige. Bíonn sé gnóthach ar fud an tí. Ag glanadh. Ag ní. Ag leagan an bhoird. Ag scuabadh an urláir. Déanann sé obair sa ghairdín, fiú. Obair dhian! Tugann Daid dhá euro dó ó am go ham. Foirfe!

Lá amháin, téann Cian isteach sa seomra folctha chun a chuid fiacla a scuabadh. Isteach leis an scuab ina bhéal agus – "Áú … áú … áúú!"

Cad atá cearr? Osclaíonn Cian a bhéal go mór leathan. Druideann sé a aghaidh leis an scáthán agus breathnaíonn sé isteach sa phluais fhiaclach. Is ansin a thuigeann sé cad í an fhadhb, cé, ar bhealach eile, nach fadhb í ar chor ar bith, ach dea-scéala. Dea-scéala, fiacail scaoilte! Dea-scéala go deimhin, go háirithe nuair is buachaillín é a bhfuil suim mhór aige suim mhór airgid a bheith aige.

Ligeann Cian liú an áthais as. Bhuel, is olc an ghaoth nach séideann maith do dhuine éigin! Láithreach bonn, tosaíonn sé ar an mbrionglóideach. Dhá euro ó Shióg na bhFiacal. Dhá euro ó Mhamó. Euro ó Mhamaí. Euro eile ó Aintín Brídín. Dhá euro eile fós ó Dhaid, má chaitheann sé an féar bainte thar an mballa isteach sa ghort.

"Fan anois go bhfeice mé," ar sé. "Sin dó agus dó agus … aon agus aon eile agus … dó eile … mm … sin … sin ocht euro. Wow!" Léimeann Cian le háthas.

"Beidh mé saibhir! Beidh mé saibhir agus in ann peil nua a cheannach le mo chuid airgid agus b'fhéidir … b'fhéidir, geansaí peile agus bróga peile freisin!"

Bhuel, níl lá ina dhiaidh sin nach bhféachann Cian sa scáthán. Bogann sé an fhiacail lena mhéar. Bogann sé an fhiacail lena ordóg. Bogann an fhiacail as a stuaim féin. Bogann, bogann, bogann an fhiacail ach ní thiteann sí amach. Tá sí fós daingean go leor sa drandal.

"Ó, a Thiarcais!" arsa Cian. "Cad atá cearr? Cathain a thitfidh sí amach ar chor ar bith?" Ligeann sé osna as. "A Thiarcais!"

Go luath ina dhiaidh sin agus Cian ar scoil lá, cuireann sé a theanga leis an bhfiacail. Bogann sé an fhiacail le barr na teanga. Bogann sé lena mhéar í. Bogann sé lena ordóg í.

"Éasca, éasca, éasca péasca," ar sé. Agus, leis sin, titeann an fhiacail amach! Breathnaíonn sé uirthi i lár na boise ar dtús, a shúile chomh leathan le geata.

"Hurá! Tá sí agam! Tá sí agam!" ar sé in ard a ghutha. Stánann páistí eile an ranga air le hiontas! Stánann Bean Uí Riain air.

"Óra, bí ciúin a Chian! Cad chuige an rí-rá?"

Ardaíonn Cian an fhiacail bheag bhán san aer – greim aige uirthi idir an chorrmhéar agus an ordóg – mar a bheadh duais luachmhar ann. Léimeann sé ar fud an ranga.

"Féach! Féach!"

Tuigeann an múinteoir anois é. Tuigeann na páistí anois é. Tosaíonn siad ag gáire. Tá Cian gliondrach freisin.

Lá fada a chaitheann Cian ar scoil. 'Cathain a bhuailfidh an clog?' a fhiafraíonn Cian de féin arís agus arís eile. Níl sé éasca ná éasca péasca fiacail a iompar idir an chorrmhéar agus an ordóg ar feadh an lae. Dúnann sé a lámh timpeall ar an bhfiacail go daingean.

Sa deireadh thiar, buailtear an clog. Beireann Cian ar a mhála scoile. Beireann sé ar a chóta. Ritheann sé ar nós na gaoithe go dtí … Ach, fan! Céard seo! An fhiacail! Cá bhfuil sí?

Cá bhfuil sí? Tá Cian ina staic. Tá sé préachta leis an bhfuacht. Féachann sé ar a dhorn dúnta. Osclaíonn sé an lámh go mall faiteach, an lúidín ar dtús, méar an fháinne, an mhéar fhada, an chorrmhéar, an ordóg. Ach, má osclaíonn féin, níl rian den fhiacail le feiceáil. Níl tada ina lámh aige. Tada!

"Ó, bhó-bhó!" arsa Cian, agus pléascann sé amach ag caoineadh. I bpreab na súl, tá Bean Uí Riain ar a glúine, í ag cuardach sa chlós, ag cuardach sa seomra. Tada! Tá na páistí ar a nglúine, iad ag cuardach sa chlós, ag cuardach sa seomra. Tada! Tá an Príomhoide ar a ghlúine, é ag cuardach sa chlós, ag cuardach sa seomra. Tada! Agus fós, d'ainneoin an uile chuardach, tar éis uair a chloig ... tada! Tada, tada, tada!

Cian bocht! Faoi bhrón atá sé. Faoi bhróóóóón!

Ar ball, sa bhaile, tá Cian bocht fós faoi bhrón. Tugann Mamaí peann agus páipéar dó.

"Seo, seo," ar sí. "Scríobh nóta chuig Sióg na bhFiacal. Inis an scéal di ó thús deireadh. Táim cinnte go dtuigfidh sí."

Cromann Cian ar an nóta a scríobh. Nóta deas. Nóta fada. Nóta brónach. Ag dul a luí dó an oíche sin, leagann Cian an nóta faoina philiúr go cúramach ... go han-chúramach ar fad.

"Guím ... guím ... guím," arsa Cian. Ansin, déanann sé méanfach fhada agus titeann ina chodladh ...

Dúisíonn Cian de phreab le gealadh an lae. Stánann sé ar an bpiliúr. De réir a chéile, socraíonn na súile agus luíonn siad ar na dathanna atá ar an gclúdach. Gorm! Dearg! Dubh! É ina staic arís! É préachta leis an bhfuacht arís!

"Tá sé éasca," a deir sé, "éasca péasca."

Go mall, go faiteach, go dóchasach, sleamhnaíonn sé a lámh isteach … isteach … isteach faoin bpiliúr.

"Óóóó … yipí!" a screadann Cian. "Yipí – zipí – dipí! Dhá euro! Dhá euro ó Shióg na bhFiacal!"

Ardaíonn sé an t-airgead san aer – idir an chorrmhéar agus an ordóg – mar a bheadh duais luachmhar ann.

"Go raibh maith agat, a Shióg na bhFiacal. Go raibh míle … míle … míle agus a dó maith agat!"

Nach ar Chian atá an t-ádh ceart. Faigheann sé dhá euro eile ó Mhamó. Faigheann sé dhá euro ó Dhaid nuair a chaitheann sé an féar bainte thar an mballa isteach sa ghort. Agus faigheann sé dhá euro eile fós ó Mhamaí nuair a leagann sé an bord don bhricfeasta. Ach tá tuilleadh fós le teacht, mar tugann Aintín Brídín euro dó agus tugann Uncail Seán euro dó freisin. Sin deich euro!

"Wow!" arsa Cian, "Tá mé saibhir, saibhir, saibhir!"

Agus cad a cheannaíonn Cian lena chuid airgid? Cosnaíonn peil, geansaí peile agus bróga peile i bhfad níos mó ná deich euro.

"Hmm," ar sé, "tá roinnt fiacla eile agam agus is dóigh liom go bhfuil ceann nó dhó eile díobh rud beag scaoilte cheana féin, ach … ach sin scéal eile …"

Mantach

"Mantach! Mantach! Mantachán! Cian mantach! Mantachian! Mantachian! Cian mantach!" a ghlaonn na buachaillí de chantaireacht ón gclós scoile.

Maidin fhuar atá ann. Tá ceann faoi ar Chian agus é ag teacht isteach geata na scoile leis féin. Ní thaitníonn na glaonna gránna leis. Ní thaitníonn na buachaillí gránna leis. Ní thaitníonn scoil ghránna leis.

Le coicís anuas, tá an t-iompar seo ar siúl. Cian lena cheann faoi toisc go bhfuil sé mantach. Máirtín Maistín agus a chairde á chrá! Tá sé mantach ceart go leor ach cad atá cearr leis sin. Bíonn páistí seacht mbliana d'aois mantach – ar feadh tamaillín ar aon nós.

Tosaíonn Cian ag smaoineamh. Cúpla seachtain ó shin, ba í mian a chroí a bheith mantach. Ba í mian a chroí a bheith saibhir. Is breá le Cian airgead. Suim mhór aige. Suim mhór aige suim mhór a bheith aige. Gach uair a thiteann fiacail amach as a bhéal, faigheann sé airgead ó Shióg na bhFiacal, ó Mhamaí agus ó Dhaidí, ó Mhamó agus ó Dhaideo, ó Aintín

Brídín agus ó Uncail Seán agus ó na comharsana béal dorais, fiú! Faoi láthair, tá carn mór airgid aige sa bhaile i muga. Muga mór bán atá i bhfolach faoina leaba agus é taobh thiar de bhosca bréagán. Caithfidh tú a bheith cúramach i gcónaí agus airgead i gceist. Caithfidh tú a bheith cúramach nuair atá deirfiúr agus deartháir agat. Sea! Deirfiúr agus deartháir a bhfuil suim mhór acu in airgead freisin.

Tá an muga lán go béal. Fiche euro atá ann. Ach, ní bheidh Cian in ann geansaí peile, bróga peile agus peil a cheannach le fiche euro. Ní bheidh. Tuigeann sé é sin. Ach, is é an rud is tábhachtaí dó ná an pheil féin.

"Gheobhaidh mé peil iontach ar fhiche euro," arsa Cian. "Ansin, beidh éad ar na buachaillí gránna. Beidh an-éad orthu. Agus ní ligfidh mé dóibh imirt liom. Sea! Beidh éad orthu, gan dabht, agus an bua agam."

Ritheann na dea-smaointe trína intinn ach cloiseann sé glaonna garbha na mbuachaillí fós.

"Mantach! Mantach! Ci … an mantach!"

Dúnann Cian a shúile ar feadh soicind agus ligeann sé eascaine as.

"Uth ó!" ar sé. "Tá súil agam nár chuala éinne mé. Níl cead agam drochtheanga a úsáid. Níl línte uaim ón múinteoir!"

Tugann Cian sracfhéachaint ar na buachaillí. Máirtín Maistín agus a bhaicle amadán! Nuair a deir Máirtín 'léim', léimeann siad. Nuair a deir sé 'rith', ritheann siad. Nuair a deir sé 'bígí ag eascainí,' fanann siad ciúin ar feadh soicind agus ansin pléascann na heascainí astu. Is caoirigh iad! Caoirigh ghránna! Tréad caorach agus an chaora dhubh! Caoirigh ag leanúint …

Leis sin, buailtear Cian le cloch bheag ar chúl a chinn. Ardaíonn sé a lámh agus cuimlíonn sé a cheann. Go tobann, buailtear arís é. Cloch eile. Ar a lámh an uair seo. Tá an phian nimhneach ach ní chasann Cian timpeall. Ní thugann sé aon aird orthu. Cloiseann sé Máirtín Maistín agus a thréad caorach ag magadh faoi. Lasann Cian go barr na gcluas ach níl éinne in ann a aghaidh a fheiceáil. Tá a cheann faoi. Phew! Leanann sé ar aghaidh go cróga, trasna an chlóis leis féin, go faiteach.

Faoi dheireadh, baineann sé doras na scoile amach. Isteach leis ar nós na gaoithe. Ligeann sé osna as. Ar a laghad, tá sé slán sábháilte anois. Síos an pasáiste agus isteach leis sa seomra ranga. Beannaíonn Bean Uí Néill dó agus iarrann sí air na leabhair Ghaeilge a chur ar bhoird na bpáistí.

"Leabhar amháin do gach páiste," a

mheabhraíonn sí dó.

Faoin am seo, tá na páistí eile ag brostú isteach sa seomra ranga. Rírá agus ruaille buaille ar feadh soicind. Ansin ciúnas … ciúnas iomlán. Tá Bean Uí Néill iontach. Ní gá di labhairt, fiú. Féachaint nimhneach uaithi agus is leor sin.

"Déan deifir, a bhuachaillín," ar sí le Cian, "caithfimid tosú ar an léitheoireacht láithreach."

Tagann Cian go bord Mháirtín Maistín. Tosaíonn sé ag crith agus tugann sé faoi deara go bhfuil allas faoina lámha.

'Bí cróga, bí cróga,' a deir guth ina chloigeann. 'Tóg go bog é. Sea, ná féach air. Ná féach ar a bhaicle amadán. Sin é. Sin é. Togha!'

"Anois a pháistí," arsa Bean Uí Néill, "osclaígí na leabhair ar leathanach a trí."

Féachann sí ar Chian. "Maith thú, a Chian. Rinne tú an-jab!"

Is breá le Cian moladh agus tagann meangadh mór gáire ar a bhéal. Uth ó! Tá sé ródhéanach. Ardaíonn sé na súile agus feiceann sé Máirtín Maistín ag stánadh air. Lasann Cian go barr na gcluas arís. Osclaíonn Máirtín Maistín a bhéal agus sleamhnaíonn na focail dá theanga.

"Mantach! Mantach! Cian mantach!"

Ach tá tuilleadh fós le rá aige. Leis an gcéad oscailt eile dá bhéal, sleamhnaíonn sruth drochfhocal dá theanga. Níor chuala Cian focail mar iad riamh ina shaol. Ní thuigeann sé iad, fiú. Ach tá a fhios aige gur drochfhocail iad.

De luas lasrach, tá Bean Uí Néill ina seasamh in aice le Máirtín Maistín.

"Agus cad a dúirt tusa?" ar sí go húdarásach.

"Tada!" ar sé go dána.

Seasann Bean Uí Néill os a chionn. Níl cuma an-sásta uirthi.

"Cad a dúirt tú?" ar sise leis arís.

"Tada," a fhreagraíonn Máirtín Maistín ach, an uair seo, tá crith beag ina ghuth."

"Bhuel," arsa Bean Uí Néill, "tá a fhios agam cad a dúirt tú agus éist seo, a bhuachaill, tá sé déistineach. Déistineach, a deirim. Agus éist liom arís. Ní ghlacfaidh mé le drochtheanga sa seomra ranga seo. An dtuigeann tú sin, a bhuachaill?"

"Ach, ach …"

Ach, ní thugann Bean Uí Néill aon deis dó freagra a thabhairt.

"Fanfaidh tú liom ag am sosa agus scríobhfaidh tú céad líne dom. 'NÍL CEAD AGAM DROCHTHEANGA A ÚSÁID.'"

Tá ciúnas sa seomra ranga. An-chiúnas. Ciúnas iomlán.

"Filleann an feall … filleann an feall …" arsa Cian de ghuth íseal.

Tamall ina dhiaidh sin, buailtear an clog agus brostaíonn na páistí amach go dtí an clós súgartha. Ach ní bhrostaíonn Máirtín Maistín amach. Suíonn sé agus scríobhann sé. Scríobhann sé agus scríobhann sé. Fiú ag am lóin, fanann sé sa seomra ranga. Níl ach caoga líne scríofa aige agus tá caoga eile fós le déanamh aige. Mar sin, suíonn Máirtín Maistín agus scríobhann sé. Scríobhann sé agus scríobhann sé.

"Aha!" arsa Cian fós eile, "filleann an feall … filleann an feall ar an bhfeallaire!"

Tá Cian sona ann féin anois. Tá sé ceart agus cóir go bhfuil Máirtín Maistín i dtrioblóid. Tá sé tuillte aige. Tuillte!

Ag dul abhaile dó, tugann Cian faoi deara go bhfuil an spéir gorm agus an ghrian ag taitneamh. Ar chlé air, feiceann sé baicle amadán Mháirtín Maistín. Tá siad ag fanacht ar a gceannaire, ach tá Máirtín Maistín fós sa seomra ranga le Bean Uí Néill agus an príomhoide. Féachann siad ar Chian ach ní deir siad tada leis. Ar eagla go bhfuil plean gránna acu dó, ritheann Cian abhaile ar nós na gaoithe.

Sa bhaile, ar ball, tógann Cian a pheil agus amach leis ag imirt sa ghairdín. Is breá leis an pheil Ghaelach. Samhlaíonn sé go bhfuil sé ag imirt i bPáirc an Chrócaigh. Cloiseann sé liúnna an lucht féachana.

"Coinnigh ort, a Chian. Maith thú, a bhuachaill. Coinnigh ort, a thaisce. Ó an stíl! An casadh! An scil!" Agus, leis sin, cúilín.

Tarraingíonn Cian cic láidir ar an bpeil. Suas, suas, suas san aer léi agus anuas, anuas, anuas léi – ar an mbóthar.

"Ó, a Thiarcais! Mo pheil, mo pheil!"

Ach níl cead ag Cian dul amach ar an mbóthar. Tá sé ródhainséarach.

"Ach, ní fheicfidh Mamaí mé," arsa Cian faoina anáil. "Tá sí ag folúsghlantóireacht. Beidh mé cúramach …"

Amach le Cian ar an mbóthar go mall stadach. Féachann sé ar chlé. Tada. Féachann sé ar dheis. Tada. Diaidh ar ndiaidh, siúlann sé suas an bóthar, é ag cuardach sa díog, agus …

"Aha," arsa Cian, "seo í." Tá an pheil neadaithe i log sa díog agus caoi mhaith fós uirthi. Beireann sé greim uirthi. Ansin, tarraingíonn sé cic mhór uirthi. Suas, suas, suas san aer léi. Anuas, anuas, anuas léi – sa ghairdín.

"Iontach," arsa Cian. "Anois, caithfidh mé brostú. Tá an lucht féachana ag glaoch orm. Cian Ó Coinn. Peileadóir den scoth …!"

Leis sin, cloiseann sé guth garbh taobh thiar de. "Mantach! Mantach! Cian mantach!"

Casann Cian timpeall agus cé a fheiceann sé ach Máirtín Maistín. Tá sé ag rothaíocht ina threo, é dearg san aghaidh agus cuma an-ghránna air!"

"Fan orm," a ghlaonn sé, agus nimh ina ghuth, "fan orm, a phleidhce! Nuair a bheirim greim ort …"

Stánann Cian air. Tá a phort seinnte, dar leis. Tá Máirtín Maistín ina fhear buile anois. Ach, a bhuí le Dia, mura mbuaileann roth tosaigh an rothair cloch mhór atá ina luí ar an mbóthar.

"Ó! Ó! Óóóóóóóóóóóóóóóóóó…!"

Suas, suas, suas san aer le Máirtín Maistín. Anuas, anuas, anuas leis. Titeann sé ina chnap ar an talamh! Tagann uafás ar Chian. Tá fonn air rith. Tá fonn air rith go tapa! Ansin, tugann sé faoi deara nach bhfuil Máirtín ag bogadh.

"Ó, a Thiarcais!" arsa Cian. "Ná habair liom gur thit sé i laige!"

Go mall stadach, siúlann Cian i dtreo Mháirtín Mhaistín. Bogann sé. Ligeann sé cnead as agus suíonn sé suas. Tá fuil ar a lámh.

Tá fuil ar a ghlúin. Tá fuil ar a bhéal. Ardaíonn Máirtín Maistín a lámh agus cuimlíonn sé a bhéal. Ansin, féachann sé ar an talamh. Díreach ansin, ina luí lena chéile, tá ceithre fhiacla beaga bána! Breathnaíonn Cian go géar ar na fiacla. Breathnaíonn sé go géar ar Mháirtín Maistín.

"Ó, a Mhuire Mháthair," arsa Cian, "tá tú MANTACH!"

Tagann cuma fhaiteach ar Mháirtín Maistín agus pléascann sé amach ag caoineadh. Máirtín Maistín ag caoineadh! Tá ionadh ar Chian.

Bhuel, is buachaill deas cineálta maiteach é Cian. Go mall stadach, suíonn sé síos ar a ghogaide agus cuireann sé a lámh ar ghualainn Mháirtín Maistín.

"Ná bí buartha," ar sé. "Fan go bhfeice tú. I gceann cúpla seachtain, beidh cíor fiacal nua agat. Fiacla bána úrnua."

Féachann Máirtín Maistín sna súile ar Chian.

"Go raibh maith agat," ar seisean, "agus … agus … tá brón orm. Tá an-bhrón orm … tá …"

Feiceann Cian na deora ina shúile. Ní gá focal eile a rá. Cabhraíonn Cian leis seasamh suas. Cuireann sé an rothar in aice leis an mballa agus tugann sé Máirtín Maistín isteach chuig Mamaí.

"A stóirín, cad a tharla," ar sí go himníoch.

Láithreach, tá an bosca garchabhrach ag

Cian. Insíonn sé scéal na timpiste do Mhamaí agus í ag glanadh na cneá ar bhéal Mháirtín Maistín.

"Agus cad is ainm do do chara nua?" arsa Mamaí le Cian.

"Máirtín Mais ..." Stopann Cian den chaint.

"Cad a dúirt tú?" arsa Mamaí arís.

"Máirtín. Máirtín is ainm dó. Máirtín!"

"Nach bhfuil ainm álainn agat?" arsa Mamaí le Máirtín, í ag cur bindealáin ar a lámh go mánla.

Féachann an bheirt bhuachaillí ar a chéile. Tagann miongháire ar bhéil na beirte agus pléascann siad amach ag gáire.

An mhaidin dar gcionn, siúlann Cian isteach sa chlós scoile leis féin. Tá sé ciúin. Féachann sé timpeall an chlóis. Stadann a chroí. Tá Máirtín Maistín agus a bhaicle amadán ag cúinne na scoile, iad i mbun chomhrá lena chéile. Nuair a fheiceann Máirtín Maistín Cian, imíonn sé óna chairde agus siúlann sé chuige.

"Haigh, a Chian," ar sé go cúthail, "ar mhaith leat imirt liom? Féach, tá peil agam, seanpheil a fuair mé sa bhaile i gcúl an ghairdín." Breathnaíonn Cian go géar ar Mháirtín Maistín. Tosaíonn sé ag smaoineamh.

'Ní maistín é Máirtín anois,' a deir guth ina

chloigeann. 'Filleann an feall ... níl aon dabht faoi sin. Ach, is olc an ghaoth nach séideann maith do dhuine.'

Féachann na buachaillí ar a chéile agus pléascann siad amach ag gáire.

"Ara, a Mháirtín," arsa Cian, "imreoidh mé leat, fadhb ar bith. Beidh mo pheil nua agam go luath. Beimid in ann ..."

Ritheann siad sa chlós lena chéile, iad ag caint, ag gáire agus ag tarraingt ciceanna ar an bpeil. Beirt bhuachaillí seacht mbliana d'aois. Iad beirt mantach. Iad beirt sona.

Úna san Uisce

Tá Úna ar cipíní. Faoi dheireadh, tá sí ar a laethanta saoire cois trá. Féachann sí suas ar an spéir ghorm atá breactha le scamaill bhána. Éisteann sí leis na faoileáin ag screadaíl os a cionn. Dúnann sí a súile agus análann sí aer úr na farraige isteach ina scámhóga. Tá Úna sona. Seo an áit is fearr léi. Seo an áit a bhíonn ina brionglóidí aici ó cheann ceann na bliana.

"Bí san airdeall, a Úna," arsa Mamaí, "tá na carraigeacha fliuch tar éis na báistí."

"Ná bíodh aon imní ort, a Mhamaí," arsa Úna, "beidh mé an-chúramach ar fad." Agus as go brách léi go sceitimíneach.

Is breá le hÚna an t-am seo den lá nuair a thránn an taoide agus nuair a fhágtar locháin sáile anseo agus ansiúd i measc na gcarraigeacha. Tá plandaí agus ainmhithe ina gcónaí sna locháin seo. Plandaí agus ainmhithe áille.

Tosaíonn Úna ag dreapadh. Tá na céadta diúilicíní greamaithe de na carraigeacha. Déanann sí a dícheall gan siúl orthu. Ní maith léi iad a bhriseadh.

Suíonn Úna síos ar a gogaidí agus scrúdaíonn sí an lochán atá thíos fúithi. Cuireann sí a dorn isteach san uisce agus sánn sí a méara sa ghaineamh. Tá an t-uisce deas teolaí agus tá an gaineamh deas mín. Tógann sí dorn gainimh ina lámh. Ardaíonn sí as an uisce é agus ligeann sí do na gráinní titim trína méara isteach sa lochán arís. Éiríonn an t-uisce scamallach ach, tar éis tamaill bhig, tá an t-uisce glan agus ciúin arís.

Ansin díreach, tugann Úna ainmhí beag gleoite faoi deara. Tá sé cosúil le glóthach dhearg. Cuimlíonn sí é le barr a méire agus osclaíonn sé láithreach ina bhláth álainn. Ligeann sí osna áthais aisti. Tá sí faoi dhraíocht ag saol na farraige.

"Ó! A Mhuire Mháthair!" a screadann Úna, agus léimeann sí siar de gheit. Is beag nach dtiteann sí den charraig. Gluaiseann ainmhí beag ait le cosa fada tanaí tríd an uisce go mear. Fanann Úna cúpla soicind, ansin gliúcann sí isteach san uisce go haireach.

"Phew!" arsa Úna, í ag glanadh drithlíní allais dá clár éadain. "Níl ann ach portán beag bídeach." Agus leis sin, bogann sí ar aghaidh go dtí an chéad lochán eile.

Caitheann Úna tamall ag siúl suas síos an

cladach. Ach, ansin, tosaíonn sí ag smaoineamh ar an bpicnic atá ullmhaithe ag Mamaí di. Sea, picnic bhlasta! Brostaíonn sí ar ais chuig Mamaí. Tá sí ina suí sa chathaoir gréine, í ag sú na gréine ar a sáimhín só.

"Cá bhfuil an phicnic, a Mhamaí?" arsa Úna. "Tá ocras an domhain orm."

"Picnic!" arsa Mamaí. "Tá sé ró-luath do phicnic. Téigh ag snámh ar dtús, a thaisce. Is féidir leat do lón a ithe tar éis an tsnámha."

I bpreab na súl, tá culaith shnámha ar Úna. Ritheann sí faoi lán-luas síos go dtí an fharraige. Tumann sí ordóg na coise isteach san uisce.

"Brrr!" arsa Úna, "tá an fharraige fuar. Tá sí an-fhuar!"

Cuireann sí an dá chos isteach an uair seo.

"Úúúúúúúú!" ar sise. "Tá mo chosa préachta, préachta agus préachta arís le fuacht an uisce!"

Ach caithfidh Úna a bheith cróga. Nach bhfuil sí ag tnúth leis an deis seo le bliain anuas!

Déanann Úna rince beag agus … a haon … a dó … a trí, agus tumann sí go neamheaglach isteach san uisce. A haon … a dó … a trí, agus amach léi arís, í ag léim san aer agus ag screadaíl le háthas. Tumann sí, snámhann sí, léimeann sí arís. Luíonn sí, suíonn sí, snámhann sí arís. Buailtear í ag na tonnta agus spréitear í ag cúr na farraige. Pléascann sí amach ag gáire. Ó, nach uirthi atá an gliondar!

Tumann Úna faoin uisce arís ach, an uair seo, feiceann sí páiste ag snámh gar di. Snámhann Úna chuige.

"Aililiú!" arsa Úna, agus alltacht uirthi. "Ní páiste é seo ach … ach … rón. Is rón é! Is rón é!"

Féachann Úna isteach i súile an róin. Tá siad mór agus dubh agus álainn. Casann an rón go mall. Croitheann sé a cheann amhail is go bhfuil sé ag caint léi. Ansin, scinneann sé tríd an uisce go grástúil. Leanann Úna é. Níl sé chun éalú uaithi. Tá sí lánchinnte de sin.

Éiríonn an rón go dromchla na farraige. Suas, suas, suas leis agus suas, suas, suas le hÚna ina dhiaidh. Feiceann sí na gathanna gréine ag scalladh tríd an uisce. Gan mórán moille, tá sí ag tarraingt aer úr isteach ina scámhóga. Casann sí timpeall agus timpeall san uisce, ach níl an rón le feiceáil ar chor ar bith.

"Ní chreidfidh mo chairde go bhfaca mé rón," arsa Úna, agus sceitimíní áthais uirthi, "ní chreidfidh siad mé go deo!"

Tá díomá uirthi nach bhfuil a ceamara aici. Is ceamara speisialta é a ghlacann grianghrafanna faoi uisce. Ach is cuma. Tá an íomhá go glé glan glinn ina hintinn aici.

Faoin am seo, tá Úna stiúgtha leis an ocras. Tosaíonn sí ag snámh i dtreo an chladaigh. Tá sí ag tnúth leis an bpicnic. Ceapairí, brioscaí agus sú oráiste. Ardaíonn sí a ceann, í ag iarraidh Mamaí a fheiceáil. Ach, cá bhfuil Mamaí? Cá bhfuil sí? Cá bhfuil na daoine eile a bhí ar an trá? Cá bhfuil an trá? Tagann líonrith ar Úna. Tá sí i lár na farraige léi féin. Níl ach uisce agus tuilleadh uisce timpeall uirthi. Pléascann sí amach ag caoineadh.

"Cad atá ar siúl?" arsa Úna trína deora. Tosaíonn a croí ag bualadh. *Ta-tum, ta-tum, ta-tum!*

"A Mhamaí, a Mhamaí!" a bhéiceann sí in ard a cinn agus a gutha. "A Mhamaí, a Mhamaí, cabhraigh liom! Cabhraigh liom!"

Gan aon choinne leis, cloiseann Úna ceol binn álainn. Is ceol draíochtúil é. Is ceol na mara é. Músclaíonn an ceol drithlíní áthais ina croí. Tagann suaimhneas uirthi.

Ansin, díreach os a comhair, feiceann Úna cailín ina suí ar charraig. Tá loinnir i súile an chailín agus aghaidh ghleoite chineálta uirthi. Titeann a cuid gruaige, í fada agus catach, go bun a droma. Agus tá … tá … tá ruball uirthi! Ruball fada agus … agus … eite ag luascadh ar a bhun!

Tá béal Úna ar leathadh le hiontas. Stánann sí ar an gcailín. Stánann sí ar an ruball. Stánann sí ar ghainní an rubaill atá ildaite lonrach!

"An ... an ... murúch thú?" arsa Úna go stadach.

"Sea, is murúch mé!" a deir an mhurúch. "Tá a fhios agat, a Úna, maighdean mhara."

"Ach, tá m'ainm ar eolas agat! Conas sin?" arsa Úna.

"Agus cén fáth nach mbeadh! Nach bhfuil tú ag teacht go dtí an trá seo leis na blianta!" arsa an mhurúch. "Cinnte, tá aithne agam ort agus tá aithne ag mo chara, Ronnie ortsa freisin."

"Do chara?" Tá mearbhall ag teacht ar Úna anois.

"Sea," a gháireann sí, "Ronnie Rón!"

"Agus an bhfuil ainm ort féin?" arsa Úna go fiosrach.

"Tá, cinnte," agus déanann an mhurúch gáire arís. "Mara is ainm domsa. Mara an mhurúch. Ach, éist liom, a Úna, déanaimis deifir anois. Imíonn an t-am go han-mhall anseo, ach fós, caithfimid filleadh ar an trá in am."

Leis sin, tumann Mara isteach san uisce. Steall amháin fiú, ní dhéanann sí. Beireann sí greim láimhe ar Úna agus snámhann siad ar ais go dtí an trá le chéile.

"Tá mé ag análú faoin uisce! An draíocht í seo?" arsa Úna, í sna trithí gáire ag a cleas nua.

"Is draíocht í," arsa Mara, "draíocht na murúiche."

Sul i bhfad, tá Úna in ann an trá a fheiceáil. Feiceann sí Mamaí ina suí sa chathaoir ghréine, í fós ag sú na gréine ar a sáimhín só. Tá an trá dubh le daoine. Is léir nach bhfuil éinne á cuardach.

"Go raibh maith agat, a Mhara,' arsa Úna. "Abair liom go mbuailfidh mé leat arís, más é do thoil é!"

"Go deimhin, buailfidh tú liom arís," arsa Mara go cineálta, "agus buailfidh tú le Ronnie Rón arís freisin!"

"A Úna, a Úna!" a bhéiceann Mamaí, "tar amach anois. Is leor cúig nóiméad duit san uisce fuar. Agus féach, tá an phicnic réidh."

Croitheann Úna lámh ar Mhamaí agus ansin, casann sí timpeall chun slán a fhágáil le Mara. Ach tá Mara imithe …

Ar an mbealach ar ais go dtí an teach ósta an tráthnóna sin, stopann Mamaí an gluaisteán ar bharr na haille. Seasann siad beirt ag féachaint amach ar na tonnta móra.

"Féach, a Úna," arsa Mamaí, í ag gliúcaíl

amach ar an bhfarraige, "an duine nó iasc é sin ar dhroim na toinne?"

"Is murúch í!" arsa Úna.

"Murúch?" arsa Mamaí go hamhrasach.

"Sea, a Mhamaí," arsa Úna go gliondrach, "is murúch í. Tá a fhios agat, maighdean mhara."

"Ag magadh fúm atá tú, a Úna! Tá tú ag –"

Ach ní thugann Úna an deis do Mhamaí focal eile a rá.

"A Mhamaí," arsa Úna go mánla, "lig do scíth ar feadh tamaillín agus, nuair atá tú réidh, inseoidh mé scéal duit."

Filleann Mamaí go dtí an carr. Tá a lán ceisteanna aici, gan aon amhras, ach caithfidh sí suí síos. Caithfidh sí suí síos go tapa.

Fanann Úna ar bharr na haille. Cloiseann sí ceol na murúiche mar a bheadh macalla draíochta ina cluasa aici.

"Slán libh, a chairde," ar sise, "go dtí an chéad uair eile, slán libh."

Leis sin, feiceann sí Mara agus Ronnie ar bharr na toinne arís. Tumann siad faoin tonn, caitheann na rubaill go hard san aer agus imíonn siad síos, síos, síos faoin uisce agus amach go dtí an fharraige mhór.

Diarmaid Deilgneach

Tá an oíche dubh dorcha. Níl aon duine ina shuí mar tá sé ródhéanach. Níl na héiníní ná na hainmhithe ná na feithidí, fiú, ina ndúiseacht. Tá an saol mór ina chodladh.

Codlaíonn Diarmaid sa seomra leapa ag barr an halla. Tá dath gorm ar na ballaí agus pictiúir de liathróidí peile ar na cuirtíní. Tá cófra mór bán ann dá chuid éadaí, seilfeanna do na leabhair agus boscaí ildaite atá lán le bréagáin. Seo an áit a mbíonn codladh sámh ag Diarmaid gach oíche.

Ach níl sé ina chodladh go sámh anocht. Mothaíonn sé aisteach. Mothaíonn sé míchompordach. Ní thuigeann sé cad atá cearr leis. B'fhéidir go bhfuil sé ag brionglóideach. B'fhéidir nach bhfuil. Ach, tá sé lánchinnte de rud amháin. Ní mhothaíonn sé ar fónamh. Tar éis dó a bheith ag corraí ina chodladh ar feadh uair a chloig, suíonn sé suas ina leaba.

"A Mhamaí, a Mhamaí," a ghlaonn sé in ard a chinn agus a ghutha, "tar go tapa, tar go tapa!"

Éisteann sé go géar. Deich soicind. Fiche

soicind. Ansin, cloiseann sé í. Coiscéimeanna éadroma ar dtús, iad ag éirí níos troime agus níos tapúla. Guth íseal, é ag éirí níos glóraí. Fuaim éadaí, agus iad ag siosarnach toisc luas gluaiseachta. Féachann Diarmaid i dtreo an dorais.

"Déan deifir, a Mhamaí," ar seisean os ard arís, "tá mé tinn, tá mé breoite!"

Agus fuadar fúithi, osclaíonn Mamaí an doras. Líontar an seomra le solas geal ón halla. I bpreab na súl, tá Mamaí cois na leapa.

"A thaisce, a stór," arsa Mamaí go mánla, "cad atá cearr leat?"

"Tá mé ró-the," ar seisean, "ró-the agus míchompordach."

Féachann Mamaí isteach sna súile ar Dhiarmaid agus cuireann sí a lámh ar a chlár éadain.

"Mmm," ar sise, "tá tú ag cur allais go tiubh. Tá teas ard ort, gan aon amhras. Tar liom go dtí an chistin agus tabharfaidh mé spúnóg de bhuidéal leighis duit."

Cabhraíonn Mamaí le Diarmaid éirí agus siúlann siad go dtí an chistin. Is aisteach é ach ní mhothaíonn Diarmaid te anois. A mhalairt ar fad, go deimhin. Tá sé fuar. Tá sé préachta. Tosaíonn sé ag crith. Ní hamháin sin ach, tá mearbhall ina cheann. Suíonn sé ar an gcathaoir agus féachann sé ar Mhamaí, í ag cuardach sa chófra ard.

"Aha," arsa Mamaí, "tá an buidéal agam."

Baineann sí an claibín den bhuidéal agus doirteann sí leacht bándearg amach ar spúnóg bheag bhán.

"Anois, a stóirín," arsa Mamaí, "oscail do bhéal agus ... Ó, a mhúirnín ó," arsa Mamaí ansin de chogar, "tá spotaí ort. Spotaí agus tuilleadh spotaí!"

De phlimp, titeann an spúnóg bheag bhán dá lámh. Feictear do Dhiarmaid go bhfuil an spúnóg agus an leacht ag titim go hurlár go mallghluaisteach.

"Spotaí!" a bhéiceann Diarmaid. "Ná habair go raibh an peann luaidhe daite ag Ciarán arís agus mise i mo chodladh!"

"Fan ciúin, fan socair, a stóirín," arsa Mamaí leis, "ní gá duit a bheith buartha, ní gá ..."

Leis sin, brostaíonn Daidí isteach sa chistin.

"Cén fáth go bhfuil sibh in bhur suí? Cén t-am é? An bhfuil a fhios agaibh go bhfuil sé ... Áááááá!"

Is léir go mbaintear geit as Daidí mar go mbeireann sé greim ar Mhamaí. Tá uirthi lámh stuama a chur timpeall air.

"Spotaí!" arsa Daidí. "Spotaí agus tuilleadh spotaí! Tá tú clúdaithe le spotaí ó bhaithis do chinn go bonn na gcos!"

Labhraíonn Mamaí go tapa anois.

"A Dhiarmaid, a chroí," arsa Mamaí, "ní gá duit a bheith buartha. Tá an deilgneach ort. Bhí an tinneas sin ormsa nuair a bhí mé óg agus bhí an tinneas céanna ar Dhaidí freisin nuair a bhí seisean óg."

"Agus," arsa Daidí, "is dócha go mbeidh an tinneas céanna ar do dheirfiúr mhór agus do dheartháir beag freisin – go luath!"

Tagann buairt ar Dhiarmaid.

"An mbeidh mé ceart go leor?" a deir sé go himníoch. "An mbeidh spotaí orm go deo?"

"Óra, a stóirín, ní bheidh," arsa Mamaí leis, agus beireann sí barróg mhór air chun é a shuaimhniú.

"Bhuel," arsa Daidí, "ní féidir linn mórán eile a dhéanamh anocht. Tá sé a ceathair a chlog ar maidin. Is é an rud is fearr dúinn go léir ná dul a chodladh agus is í an áit is fearr duitse, a Dhiarmaid, ná an leaba!"

"Ach tóg spúnóg den bhuidéal leighis ar dtús," a deir Mamaí leis.

Slogann Diarmaid siar an leacht agus ansin seasann sé suas chun a bhealach a dhéanamh ar

ais go dtí a sheomra.

"Agus an scoil?" arsa Diarmaid go hamhrasach, "an bhfuil mé le dul ar scoil amárach?"

"Níl," arsa Daidí leis, "ní bheidh tú ar scoil arís go ceann coicíse, is dócha."

"Yipí!" a screadann Diarmaid. "Saor ón scoil ar feadh coicíse! Yipí! Saor ón obair bhaile ar feadh coicíse! Yipí! Yipí!"

Agus é ar ais ina sheomra codlata arís, conlaíonn Diarmaid isteach faoin gcuilt. Mothaíonn sé níos compordaí anois.

"Fan sa leaba ar maidin," arsa Mamaí leis, "agus lig do scíth. Oíche mhaith, a thaisce."

"Oíche mhaith, a Spot!" arsa Daidí leis, ach brúnn Mamaí amach as an seomra é go tapa.

Titeann Diarmaid ina chodladh. Láithreach, tosaíonn sé ag brionglóideach faoi scoil agus obair bhaile, faoi spotaí agus buidéil leighis, faoi leacht bándearg agus spúnóga beaga bána.

An mhaidin dár gcionn, cloiseann sé fuadar ar fud an tí. Cloiseann sé an chlann ag caint agus ag comhrá. Cloiseann sé gearáin!

"Agus cén fáth nach bhfuil Diarmaid ag dul ar scoil?" arsa Sorcha le Mamaí.

"Tá sé breoite," arsa Mamaí léi.

"Tinn! Dáiríre! Nó ag ligint air go bhfuil sé

tinn?" arsa Sorcha.

"Tá sé tinn. Dáiríre píre!" arsa Mamaí léi. "Tá
sé clúdaithe le spotaí ó bhun go barr."

Tagann gramhas ar Shorcha. Níl sí sásta leis
an scéal seo ar chor ar bith. Níl sí sásta ná pioc
sásta, fiú, go mbeidh sise ar scoil agus Diarmaid
sa bhaile.

Ansin, léimeann Ciarán dá chathaoir.

"Níl sé cothrom, a Mhamaí," ar seisean. "Ní
bhímse anseo riamh agus eisean ar scoil. An
féidir liom fanacht sa bhaile chun ... chun ...
chun cabhrú leat?"

Islíonn Daidí an nuachtán agus scairteann sé
amach ag gáire.

"An bhfuil sibh ag iarraidh fanacht sa
bhaile?" arsa Daidí leis an mbeirt acu.

"Tá, tá, tá," arsa Sorcha agus Ciarán d'aon
ghuth.

"Bhuel," arsa Daidí, "tá gach seans go mbeidh
sibh sa mbaile amach anseo, ach, ní inniu é!
Inniu, tá sibh ag dul ar scoil. Isteach libh sa
ghluaisteán, go beo."

Cúig nóiméad ina dhiaidh sin, níl éinne
fágtha sa teach ach Diarmaid agus Mamaí.
Agus an teach ciúin suaimhneach arís, siúlann
Mamaí suas go seomra Dhiarmada. Féachann sí
air, é ina luí sa leaba agus cuma an aingil air.

"Bhuel, a thaisce," arsa Mamaí leis, "conas atá tú inniu?"

Smaoiníonn Diarmaid ar feadh tamaillín.

"Níl fuinneamh ar bith ionam, a Mhamaí," ar seisean léi. "Tá fonn orm féachaint ar an teilifís nó spraoi le mo bhréagáin nó leabhar a léamh, ach níl mé in ann."

"Tá tú lag, a thaisce," arsa Mamaí leis, "lag den tinneas. Anois, a stóirín, dún do shúile agus téigh a chodladh. Cabhróidh sin leat dul i ngleic leis an tinneas."

Faoin am atá na focail ráite ag Mamaí, tá Diarmaid ina chodladh go sámh arís. Codlaíonn sé go suan. Codlaíonn sé go sámh. Codlaíonn sé go ceann i bhfad. Ach, in imeacht ama, dúisíonn guthanna ón gcistin é.

'Cé atá ag caint?' arsa Diarmaid leis féin. 'Ciarán agus Sorcha? Sa bhaile cheana féin! Cén t-am é? A trí a chlog! Ní chreidim é!'

De phlab, osclaítear an doras agus isteach le Sorcha agus Ciarán go bíogúil beomhar. Seasann siad ina staiceanna nuair a fheiceann siad an cruth atá ar Dhiarmaid.

"A Mhuire Mháthair!" arsa Sorcha. "Féach ort! Tá spotaí i ngach áit ort. Spotaí agus tuilleadh spotaí!"

Leathnaíonn na súile ar Chiarán le teann

iontais. "Wow!" ar seisean, "ní mise atá ciontach. Tá an peann luaidhe dearg caillte agam le fada. Ní mise atá ciontach!"

Leis sin, cloiseann siad Mamaí taobh thiar díobh. "Tá an deilgneach ar Dhiarmaid, a pháistí," a mhíníonn sí dóibh. "Sin an fáth go bhfuil spotaí ar a chraiceann, ach imeoidh siad. Imeoidh siad in imeacht ama."

"B'fhearr liom a bheith ar scoil ná a bheith tinn leis na spotaí sin," arsa Sorcha go deimhneach.

"Mise freisin," arsa Ciarán. "An bhfuil a fhios agat go bhfuil spotaí ar do shrón agus … agus fiú ar do chluas?"

"Agus! Agus!" a bhéiceann Diarmaid go borb.

Ach, tá sé tuirseach den chaint faoi spotaí agus tinn tuirseach de na spotaí féin.

"Amach libh, go beo," arsa Mamaí leo, agus cuireann sí an ruaig ar an mbeirt acu. Ritheann siad amach sa ghairdín chun peil agus cispheil a imirt. Cloiseann Diarmaid na gártha áthais agus é ina luí sa leaba. Tagann scamall bróin air. Tá an ceart acu. Tá an scoil i bhfad níos fearr ná seo. Gafa sa leaba agus gan a bheith in ann aon rud a dhéanamh. Uafásach!

Bhuel, imíonn an t-am thart go mall nuair a bhíonn tú tinn. Gluaiseann sé níos moille fós nuair a bhíonn tú ag dul in olcas. Sea, éiríonn Diarmaid níos measa. Tagann fiabhras air agus tosaíonn sé ag rámhaillí.

"A Dhaidí, a Dhaidí," arsa Diarmaid, agus mearbhall ina cheann aige. "Cá bhfuil tú, a Dhaidí? Cá bhfuil tú?"

Diarmaid bocht. Ní thuigeann sé go bhfuil Daidí in aice leis, agus ceirt fhuar fhliuch á brú aige le clár éadain an bhuachalla chun an teas millteannach a laghdú. Ach is é an rud is measa ná an tochas! Tá tochas ar a lámh. Tá tochas ar a chos. Tá tochas ar a bholg agus tochas ar a dhroim. Tá tochas ar a cheann agus tochas ar a rúitín, fiú!

"Ná bí ag scríobadh, a stóirín," arsa Mamaí leis. "Ná bí ag scríobadh nó fágfar rian an tinnis ar do chraiceann."

"Ach, a Mhamaí," arsa Diarmaid, agus frustrachas ina ghlór, "tá mé ag dul as mo mheabhair leis an tochas seo. Tá tochas ar gach cuid de mo chorp!"

An chéad lá eile, tugann Mamaí Diarmaid síos go dtí an seomra folctha. Tá an tobán lán le huisce. Osclaíonn sí mála beag agus caitheann sí púdar bán isteach san uisce. Corraíonn sí an t-uisce lena lámh. Ansin, caitheann sí tuilleadh púdair isteach agus corraíonn sí an t-uisce arís.

"Anois, a thaisce," ar sise leis, "isteach leat sa tobán."

"Cad é an stuif bán sin?" arsa Diarmaid le Mamaí. " Tá sé cosúil le plúr."

"Ní plúr é ach sóid aráin," arsa Mamaí leis, "agus fan go bhfeice tú, déanfaidh sé an-mhaitheas duitse agus don tochas damanta sin!"

Luíonn Diarmaid siar sa tobán. Tá an ceart ag Mamaí. Stopann an tochas. Mothaíonn Diarmaid faoiseamh. Ligeann sé osna as. Tá sé ar a sháimhín só anois.

'Tá feabhas ag teacht orm, buíochas le Dia,' arsa Diarmaid leis féin, 'agus buíochas le Dia go bhfuil Mamaí cliste agam!'

Ag deireadh na seachtaine, is léir go bhfuil biseach ag teacht ar Dhiarmaid. Tá na spotaí ag imeacht agus níl an tochas céanna ar a chorp aige. Tá sé níos láidre agus in ann spraoi lena bhréagáin ar feadh tamaill bhig. Cúpla lá eile agus tá sé ag imirt peile sa ghairdín. Cúpla lá eile fós agus tá sé reidh chun filleadh ar scoil.

"Yipí! Yipí!" a bhéiceann Diarmaid go gliondrach, agus tosaíonn sé ag canadh –

Tá mé ag dul ar scoil,
Mo mhála ar mo dhroim,
Ag spraoi le mo chairde,
Anois, níl mé tinn!

Pléascann Mamaí, Daidí, Sorcha agus Ciarán amach ag gáire. Tá Diarmaid an-ghreannmhar, dar leo, an-ghreannmhar ar fad.

"Ceart go leor, a pháistí," arsa Daidí, "isteach libh sa ghluaisteán, go beo!"

Beireann na páistí ar a gcótaí, a málaí scoile agus a mboscaí lóin, iad fós ag gáire go meidhreach. Agus iad ag rith amach an doras, stopann siad ar feadh soicind chun póigín a thabhairt do Mhamaí.

"Slán libh," arsa Mamaí leo, "bainigí sult as an lá agus … áááááá!"

Baineann Mamaí ollgheit astu lena scread ard ghéar. Stánann gach duine uirthi. Agus ansin, stánann Mamaí, Daidí agus Diarmaid ar Shorcha agus ar Chiarán.

"Uth ó! Spotaí, spotaí, spotaí," ar siad d'aon ghuth, "agus tuilleadh spotaí!"

Féileacáin

Cónaíonn Miní agus Sparcaí i mbaile beag i lár na hÉireann. Á! Tá siad go hálainn. Cótaí síodúla. Súile bíogúla. Cluasa beaga. Lapaí boga bídeacha. Sea, tá an ceart agat. Is ainmhithe iad. Is cat í Miní agus is madra é Sparcaí. Cairde is ea iad. Cairde buana.

Is baile deas é Baile na mBláth. Baile glan le bláthanna i ngach áit. Agus is cailín deas í Cáit, an cailín a thugann aire do Mhiní agus Sparcaí. Beathaíonn sí iad. Scuabann sí an ghruaig orthu agus … agus … creid nó ná creid … gléasann sí iad. Le ribíní! Ribín dearg ar mhuineál Mhiní. Ribín buí ar mhuineál Sparcaí. Bíonn Sparcaí fiáin ag iarraidh éalú ón ribín.

"Graa … uf … uf … graa … uf … graauf," a deir Sparcaí, agus é ag iarraidh an ribín a ithe. Ó, Sparcaí! Níl aon chiall aige.

Maidir le Miní, fanann sí ciúin. Tuigeann sí nach bhfuil aon éalú ann.

Suíonn Miní agus Sparcaí lasmuigh de leathdhoras an tí gach lá. Miní ar dheis. Sparcaí ar chlé. Ólann Miní bainne. Ólann Sparcaí uisce. Itheann Miní píosaí feola. Itheann Sparcaí cnámha. Is breá le Sparcaí a bheith ag imirt cluichí. Léimeann sé. Casann sé. Lúbann sé. Téann sé sa tóir ar na féileacáin. Ag tafann leis na héiníní a bhíonn sé. Ag tafann le Miní a bhíonn sé, é ag súil go dtiocfaidh sí ag súgradh leis. Ach féachann sí air le leathshúil. Déanann sí méanfach. Ó, ó, ó, an leadrán! Tá Sparcaí an-amaideach, dar léi, agus scríobann sí a shrón ó am go ham.

"Mííí … áú," a scréachann sí, "fan amach uaim!" Agus ciúnaíonn sin Sparcaí ar feadh tamaillín.

Ar aon nós, caitheann Miní an lá ar fad ina luí lasmuigh den leathdhoras. Is beag am a chaitheann Sparcaí ina luí. Imíonn sé le Cáit go minic. I gciseán a rothair a bhíonn sé agus Cáit ag rothaíocht síos an bóthar go teach a cara. Is breá leis an ciseán. Casann sé a cheann ar dheis agus ar chlé. Ag tafann le muintir an bhaile a bhíonn sé. Bíonn a chluasa ag séideadh sa ghaoth mar a bheadh sciatháin ann. Sea, sciatháin an eitleáin! Bíonn sos ag Miní ó amaidí Sparcaí tamall. Phew!

Lá amháin, brostaíonn Cáit amach as an teach. Pógann sí Miní. Gan focal nó fiú 'uf' nó 'gra … uf' a rá, isteach le Sparcaí sa chiseán. Tosaíonn sé ar an seantafann, é ar cipíní faoin turas rothaíochta. Féachann sé ar Mhiní – chun slán a fhágáil léi - ach dúnann Miní an dá shúil.

'Go sábhála Dia sinn!' ar sise léi féin.

Codlaíonn Miní go sámh. Brionglóidí aoibhne a bhíonn aici. Brionglóidí faoi éiníní agus luichíní. Go tobann, dúisíonn sí de phreab! Cén fáth? Céard ...? Díreach os a comhair, feiceann sí Cáit. Ligeann Cáit dá rothar titim ar an talamh agus ritheann sí chuig a Mamaí.

"A Mhamaí, a Mhamaí! Léim Sparcaí amach as an gciseán chun breith ar na féileacáin. Bu ... bu ... buaileadh é ag an veain poist. Is ormsa atá an locht. Or ... r ... ormsa ...!"

Beireann Mamaí barróg ar Cháit.

"A thaisce, a thaisce, níl aon locht ort. Ní raibh aon neart air. Seo, seo, seo-seo, a stóirín ó, ní raibh ..."

Screadaíl. Béicíl. Deora móra. Reonn Miní. Seasann an ghruaig ar a droim. Is ansin a thugann Miní bundailín i lámha Cháit faoi deara. Sparcaí atá ann. É ciúin. É róchiúin. Ribín buí ar an mbóthar. Stadann a croí.

"Ná habair ... ná habair go bhfuil sé ..."

Ach, tá. Tá sé imithe ar shlí na fírinne.

Sleamhnaíonn na laethanta thart. Luíonn Miní lasmuigh den leathdhoras, mar is gnách di. Ciúnas agus tost. Dhá rud nach dtaitníonn léi anois. Ciúnas agus tost! Go tobann, pléascann tocht ina croí. Titeann deoir mhór dá leathshúil.

"Sparcaí. Brónach atá mé gan tusa, brónach agus uaigneach. Mí … áúú!"

Gan aon choinne leis, cloiseann sí freagra.

"A Mhiní, ná bíodh brón ort. Tá mé slán sábháilte. Uf, uf!"

Os a cionn, ar foluain sa spéir, feiceann Miní Sparcaí. Osclaíonn dhá shúil an chait an uair seo!

"Scaoil uait do bhrón agus bíodh saol sona agat," arsa Sparcaí go séimh. "Is mise do chara buan, a Mhiní, agus beidh mé leat go deo. Graaa … uf!"

Leis sin, léimeann Sparcaí. Casann sé. Lúbann sé. Eitlíonn na mílte féileacán timpeall air sa solas geal. Agus, i bpreab na súl, tá sé imithe arís.

An brionglóid í seo nó draíocht? Níl Miní cinnte. Ach is cuma. Pléascann sonas ina croí. Léimeann sí. Casann sí. Lúbann sí. Téann sí sa tóir ar na féileacáin. Déanann sí gáire, fiú. Um thráthnóna, suíonn sí le Cáit agus brúnn sí a ceann faoina lámh. Feiceann sí miongháire ar bhéal Cháit agus boige sna súile uirthi. Sonas!

Ach ní théann Miní isteach i gciseán rothar Cháit. Ní dhéanfadh sí a leithéid riamh, mar is cat í, agus seo nós Sparcaí. Agus ní féidir ach an t-aon Sparcaí amháin a bheith ann. Sparcaí – buanchara Mhiní.

Misneach

"An féidir liom teacht isteach i do leaba anocht, a Mhamaí?"

"Ní féidir, a Ruán," arsa Mamaí. "Tá tú ceithre bliana d'aois anois. Tá leaba dheas chompordach agat féin. Ní báibín anois thú. Tá sé in am duit fanacht i do leaba féin. Ní gá eagla a bheith ort, a stór. Tá mo sheomra leapa díreach in aice le do sheomrasa."

Ruán bocht. Titeann an lug ar an lag aige. Tá sé ag fás cinnte. Ní báibín anois é. Tuigeann sé é sin. Ach, tá leaba Mhamaí deas teolaí. Mothaíonn sé slán sábháilte inti. Sea! Tá a sheomra féin maisithe in oiriúint do bhuachaill ceithre bliana d'aois. Iontach. Álainn. Uaigneach … Ach, cé go bhfuil sé deacair dó, socraíonn Ruán a bheith cróga.

"Is ridire misniúil mé," ar seisean. "Fanfaidh mé i mo leaba féin. Fadhb ar bith!" Agus as go brách leis ag spraoi lena chuid bréagán.

Tagann an clapsholas agus titeann an dorchadas. Itheann Ruán gránach, mar is gnách dó gach oíche. Réitíonn sé é féin chun dul a chodladh. Ní féidir leis éalú, ach is buachaill cliste é, gan dabht. É ag ní na lámha go cúramach. É ag scuabadh a chuid fiacla le haire. É ag roghnú leabhair do Mhamaí le luas seilide. Is róthapa a léann sí an scéal dó, dar leis féin. Ach tá go maith agus níl go holc.

"Ó, féach an t-am, a thaisce," arsa Mamaí. "Am luí!" Stopann croí Ruán de gheit.

Beireann sé greim láimhe ar Mhamaí agus siúlann siad le chéile suas an halla go dtí a sheomra leapa. Tá an solas ar siúl. Tá an seomra deas teolaí. Tá buidéal te sa leaba.

"Níl seo ródhona," arsa Ruán de ghuth íseal.

"Tá grá agam duit," arsa Mamaí, agus tugann sí póigín dó. "Conlaigh isteach faoin gcuilt anois. Feicfidh mé ar maidin thú."

"Grá agam duitse freisin," arsa Ruán, agus tocht ina ghlór aige. Cuireann Mamaí solas beag ar siúl dó agus imíonn sí.

Fanann Ruán go ciúin sa leaba. Casann sé uair nó dhó. Ní thaitníonn an ciúnas leis. Cloiseann sé a chroí féin ag bualadh: *ta-dump, ta-dump, ta-dump!* Ach, de réir a chéile, dúnann sé a shúile. Ansin, go tobann, cloiseann sé gíoscán sa seomra. Geiteann sé. "An teas!" arsa Ruán de chogar, agus ligeann sé osna uaidh.

Torann eile! A Mhuire Mháthair! É lasmuigh den fhuinneog an uair seo. Féachann sé go géar

trí scoilt sna cuirtíní. Níl tada le feiceáil ach an
ghealach lán ina suí go hard sa spéir. Phew!

"Ceart go leor," arsa Ruán, "rachaidh mé a
chodladh anois."

Ní luaithe na súile dúnta aige ná go
gcloiseann sé cnead faoin leaba.

"Ollphéist!" a scréachann sé os ard.

Preabann sé as an leaba agus beireann sé ar a
chlaíomh. Réitíonn sé é féin chun an ruaig a
chur ar an ollphéist. Luíonn sé ar an urlár, é
réidh don ionsaí. Ach, nuair a fhéachann sé
faoin leaba … bhuel … níl ach cúpla carr agus
bríce ann!

Isteach le Ruán sa leaba arís. Tá sé ag éirí rud
beag tuirseach faoin am seo, ach fós, níl sé ar a
sháimhín só. Tagann dea-smaointe chuige.

"Léimfidh mé isteach i leaba Mhamaí nuair
atá sí ina codladh!" ar seisean go gliondrach.

"Ligfidh mé orm go bhfuil mé tinn!
Déarfaidh mé léi go bhfuil mé préachta leis an
bhfuacht! Rachaidh mé …"

I ngan fhios dó féin, titeann a chodladh go
mall réidh air. Is codladh sámh é a leanann go
dtí an chéad lá eile.

Ar maidin, brostaíonn Mamaí isteach ina
sheomra leapa. "Éirigh, a Ruán," arsa Mamaí.
"Nach iontach an buachaill thú! Chaith tú an

oíche ar fad i do leaba féin. Is buachaill mór anois thú, cinnte."

Ní chreideann Ruán an scéal. Suíonn sé suas sa leaba. Glanann sé smuga an chodlata as a shúile. Sea! Tá sé fós ina leaba féin. Dochreidte!

Tar éis an bhricfeasta, labhraíonn sé le Mamaí. "Fanfaidh mé i mo leaba féin as seo amach, a Mhamaí. Is leaba dheas theolaí chompordach í, gan aon amhras. Is breá liom anois í."

"Tá mé an-bhródúil asat, a chroí," arsa Mamaí, í ag féachaint go grámhar air, "ach, tar chugam i gcónaí má tá eagla nó tinneas ort."

Cé go bhfuil Ruán cróga misniúil anois, cuireann focail Mhamaí suaimhneas air.

"Tá grá agam duit, a Mhamaí," arsa Ruán.

"Grá agam duitse freisin, a Ruán," arsa Mamaí.

Féachann Ruán ar Mhamaí nóiméad. Ní thuigeann sé cén fáth go bhfuil tocht ina glór aici. Ceithre bliana d'aois agus é ag dul in aois. Nach sleamhnaíonn na blianta thart go tapa!

An Gruagaire

"Go hálainn! Go hálainn!" a deir Mamaí le Sinéad, í ag scuabadh a cuid gruaige le fonn. "Agus féach an loinnir! Nach bhfuil an t-ádh leat gruaig álainn a bheith ort."

Gruaig fhada dhonn atá ar Shinéad. Fada agus síodúil. Ó bhí sí trí bliana d'aois, tá daoine á moladh. Anois agus í seacht mbliana d'aois, tá daoine fós á moladh. Tá a cuid gruaige níos faide agus níos síodúla ná riamh. Síos go bun a droma atá sí. Is beag nach bhfuil sí in ann suí uirthi! Ach, chun an fhírinne a rá, tá Sinéad tuirseach den mholadh seo – agus tuirseach traochta den fhocal álainn! Dá mbeadh a fhios acu an trioblóid a bhíonn aici ag am níocháin! Í ag iarraidh an sobal a shruthlú dá ribí gruaige. Í ag iarraidh an sobal a ghlanadh dá súile. Agus ina dhiaidh sin, an phian a bhaineann le snaidhmeanna agus cíoradh!

"Ow! Ow!" a deir sí, nuair a fheiceann sí Mamaí ag teacht chuici agus an cíor ina lámh aici.

"Tóg go bog é," arsa Mamaí léi, "tá feabhsaitheoir agam anseo. Cabhróidh sé liom do ghruaig a chíoradh go réidh. Ní bheidh aon mhíchompord nó tharraingt i gceist ar chor ar bith."

"Ach, níl sin fíor," arsa Sinéad. "Sin a deir tú i gcónaí agus bíonn a leath de mo chuid gruaige fágtha ar an gcíor – i gcónaí!"

Ach, níl aon leigheas ar an scéal. Ní féidir le Sinéad gabháil ar fud na háite, a cuid gruaige ag gobadh amach i ngach aon treo, agus cuma na caillí uirthi.

"Dá mbeadh mo chuid gruaige níos giorra," ar sí le Mamaí, "bheadh sé i bhfad níos éasca í a chíoradh. É a bheith níos giorra, a Mhamaí, más é do thoil é …"

"Ná habair a leithéid!" arsa Mamaí léi. "Do ghruaig álainn a ghearradh! Tá tú as do mheabhair. Do ghruaig fhada shíodúil a ghearradh! Ná habair a leithéid arís. Tá an t-ádh leat go bhfuil …" Agus leanann sí ar aghaidh agus ar aghaidh agus ar aghaidh léi.

Ní théann Sinéad go dtí an gruagaire riamh. Uair sa mhí, gearrann Mamaí leathorlach de bhun na gruaige agus leathorlach dá frainse. Ach téann Mamaí féin go dtí an gruagaire agus ní dhéanann Sinéad aon ghearán faoi sin. Bíonn gruaig Mhamaí an-difriúil nuair a thagann sí abhaile. Bíonn sí níos giorra agus, aisteach go leor, bíonn sí níos finne.

"A Mhamaí, an bhfuil dath eile ar do chuid gruaige ó d'imigh tú go dtí an gruagaire?" arsa Sinéad léi.

"Níl, a stóirín, níl. Tá sí níos giorra ach is é an dath céanna atá uirthi."

Caochann Daidí leathshúil le Sinéad. Ní thuigeann Sinéad cén fáth, ach caochann sí leathshúil ar ais leis ar aon nós. Ansin, déanann sí dearmad ar ghruaig ghearr agus sobal agus snaidhmeanna ar feadh tamaillín.

Maidin scoile atá ann. Cloiseann Sinéad focail mholta agus í ag siúl isteach sa seomra ranga. Feiceann sí Róisín Ní Riain ina seasamh i lár an tseomra agus í ar cipíní. Tá slua mór timpeall uirthi, iad ar cipíní freisin.

"Ó, a Róisín," ar siad, "tá do ghruaig go hálainn. Oireann an stíl ghearr nua duit. Álainn! Álainn!"

Casann Róisín timpeall chun breathnú ar Shinéad.

"Haigh, a Shinéad, féach mo stíl nua gruaige." Agus luascann Róisín timpeall agus timpeall mar mhainicín. Go deimhin, tá a stíl nua go hálainn. Is cinnte go bhfuil sí níos giorra, ach tá sí fada agus gearr ag an am céanna.

Tagann Bean Uí Bhriain chun breathnú uirthi

freisin. Molann sí stíl nua Róisín go hard na spéire.

"Agus cé a ghearr do chuid gruaige?" ar sí le Róisín.

"Thug Mamaí léi mé go dtí an gruagaire inné. Bhí sé iontach. Mise i mo shuí sa chathaoir mar bhean óg. Siosúir, scuabanna gruaige, triomadóirí i ngach áit. Fuaim, caint agus gáire. Tugadh cupán tae dom agus brioscaí seacláide freisin."

"Maith thú, a chailín," a deir Bean Uí Bhriain. Ansin, féachann sí ar na páistí.

"Cé eile a théann go dtí an gruagaire?" a fhiafraíonn an múinteoir.

De luas lasrach, tá beagnach gach lámh in airde. Féachann Sinéad timpeall an ranga. Uth ó! Go deimhin, is ise an t-aon duine amháin nach bhfuil lámh in airde aici. Tagann náire uirthi. Is ise an t-aon duine amháin nach raibh ag an ngruagaire riamh. Ó, an náire! An náire! Agus, chun an scéal a dhéanamh níos measa fós, tugann Bean Uí Bhriain faoi deara í.

"A Shinéad, a chroí," ar sí, "ní gá duitse dul chuig gruagaire. Tá a fhios ag an saol is a mháthair go bhfuil an t-ádh leat. Gruaig fhada shíodúil atá ort. Ní gá … ní gá …"

Och, ochón! Tá Sinéad réidh le ceangal.

Cuireann sí a teanga idir na fiacla agus fanann sí ciúin.

Éiríonn an scéal níos measa i rith an lae. Ní chloiseann Sinéad tada óna cairde ach comhrá faoi ghruaig: cíora ... stíleanna ... gruagairí ... triomadóirí ... seampú ... tuáillí! Tá sí bodhar acu. Fiú ag am lóin sa chlós scoile agus 'tuisle' á imirt acu, cumann na cailíní rann nua do Róisín.

> Léim isteach le gruaig fhliuch,
> Ar mhaith leat stíl nua?
> Téigh go dtí an gruagaire,
> Más maith leat stíl nua.

> Léim amach le cruth úr ort,
> Ó féach do stíl nua,
> Siosúr, scuab is bualadh bos,
> Seo í Róisín le stíl nua!

Faoin am a bhuailtear cloigín na scoile ag a trí a chlog, tá ceann Shinéad ag scoilteadh le pian. Léimeann sí den suíochán, beireann sí ar a mála scoile agus imíonn sí gan focal a rá. Agus í ag rothaíocht léi abhaile, sleamhnaíonn íomhánna de Róisín isteach ina hintinn. Róisín lena stíl nua ghruaige. Álainn! Róisín ag an ngruagaire. Iontach! Róisín ag ól cupán tae agus ag ithe brioscaí. Dochreidte! Róisín! Róisín! Róisín!

"Áááááááááá!" a screadann Sinéad in ard a gutha. "Is fuath liom mo chuid gruaige. Is fuath liom an stíl atá agam. Stíl lom lofa leadránach! Gach páiste ag an ngruagaire seachas mise! Gach páiste seachas mise!"

Líonann a súile le deora agus ritheann siad síos a leicne. Sinéad bhocht!

Sa bhaile, faoi dheireadh, brostaíonn Sinéad isteach sa teach.

"Á, a thaisce, a chroí," arsa Mamaí, "conas atá tú? Conas a bhí do lá scoile? An bhfuil ocras ort? Féach cé atá anseo. Mamó atá ann. Suigh in aice léi agus abair léi faoin scoil. Caithfidh mé an dinnéar a ullmhú."

Suíonn Sinéad le Mamó ar feadh tamaill. Labhraíonn siad faoin scoil, faoina cairde, faoi na múinteoirí agus faoi obair bhaile. Ach, ní deir Sinéad tada faoin stíl nua gruaige atá uaithi. De réir a chéile, gabhann sí leithscéal le Mamó agus imíonn sí chun a culaith reatha a chur uirthi.

Agus Sinéad léi féin ina seomra leapa, téann sí siar ar imeachtaí an lae. Ba dhrochlá é, drochlá amach is amach. Tógann sí a scuab ghruaige ina lámh chun gearr-ruball a shocrú ar bharr a cinn. Stadann sí chun féachaint ar a scáil sa scáthán. Bogann sí isteach níos giorra don scáthán agus déanann sí scrúdú dá haghaidh, dá leicne agus dá gruaig.

"Tá m'aghaidh beag go leor," ar sí, "Is maith mar a d'oirfeadh stíl ghearr ghruaige dom, measaim ..."

Ansin, cibé buille mire a thagann uirthi, síneann sí a lámh amach agus beireann sí greim ar an siosúr beag plaisteach atá aici chun páipéar a ghearradh. Ansin, tógann sí na ribí gruaige ina lámh agus – Snip! Snip! Snip!

Le dul gach snip díobh, éiríonn an frainse níos giorra agus níos giorra. Snip! Snip! Snip!

Anois, níl frainse aici a thuilleadh! Breathnaíonn Sinéad isteach sa scáthán, í sona sásta lena cuid iarrachtaí. Méadaíonn ar a cuid misnigh. Snip, snip ar dheis. Snip, snip ar chlé. Snip, snip ar chúl a cinn. Snip! Snip! Snip!

Titeann an ghruaig ina stothanna ar an urlár. Ach ní chuireann sin isteach ar Shinéad. Leis an scuab ghruaige ina lámh eile, scuabann sí a cuid gruaige go cúramach. Ansin, bogann sí isteach níos gaire don scáthán arís. Tá cúpla ribe gruaige ag gobadh aníos ar bharr a cinn. Snip! Snip! Snip!

Ach níl anois! Seasann Sinéad siar agus déanann sí iontas dá híomhá nua.

"Wow! Stíl ghearr ghalánta atá agam anois," ar sí go gliondrach. "Stíl fhíorálainn! Is mise an gruagaire is fearr ar domhan! Fan go bhfeicfidh siad ar scoil mé!"

Díreach ansin, glaonn Mamaí uirthi teacht i gcomhair an dinnéir. Ritheann Sinéad síos an halla agus isteach léi sa chistin go meidhreach.

"Bhuel," ar sí, "cad a cheapann sibh faoi mo stíl nua gruaige?"

Casann Mamaí agus Mamó timpeall. Ach, má chasann, seasann siad ina staic, gan focal astu. Tosaíonn Mamaí ag crith.

"A Mhuire Mháthair!" ar sí os ard, "cén diabhal atá ort? Ghearr tú do chuid gruaige! Ghearr tú do ghruaig fhada shíodúil! A Mhuire Mháthair!"

Éiríonn guth Mhamaí níos airde agus níos airde fós.

"Ní chreidim é!" arsa Mamaí arís. "Och, ochón! Do ghruaig fhada álainn gearrtha agat! Och, och, och-ochón!"

Tuigeann Sinéad láithreach nach bhfuil Mamaí sásta. Déanann sí iarracht an scéal a mhíniú di.

"Ach, a Mhamaí," ar sí, "tá stíl nua gruaige ag Róisín Ní Riain, stíl ghearr … agus … agus ba … ba … ba mhaith liom …"

Ach teipeann uirthi. Líonann a súile le deora agus pléascann sí amach ag caoineadh. Ritheann Mamó chuig Sinéad agus beireann sí barróg uirthi.

"Seo … seo … a Shinéad. Ná bí ag caoineadh, a stóirín. Tá gach rud ceart go leor. Beidh gach rud ceart go leor. Seo … seo …"

Ligeann Mamaí osna bhróin aisti agus titeann sí de phlap ar an gcathaoir. Agus lámh amháin ag Mamó timpeall ar Shinéad, cuireann sí an lámh eile ar ghualainn Mhamaí.

"Anois," ar sí, "níl mórán dochar déanta. Níor ghearr Sinéad í féin leis an siosúr. Níl aon fhuil le feiscint. Fásfaidh a cuid gruaige arís. Agus, an chuid is fearr den scéal is ea go raibh mé féin i mo ghruagaire agus mé níos óige. Fan go bhfeicfidh sibh. I gceann cúpla nóiméad, beidh stíl nua gruaige ag Sinéad agus beidh sí go hálainn."

Ligeann Mamaí osna fhada an fhaoisimh aisti. Tá an ceart ag Mamó. Tá Sinéad slán sábháilte agus fásfaidh an ghruaig arís. Fásfaidh, cinnte. Ansin, tógann sí Sinéad ina baclainn, beireann sí barróg mhór uirthi agus tugann sí póigín di.

"Á, a thaisce, ná bí buartha," ar sí, "ní raibh mé ag éisteacht leat. Ach beidh gach rud ina cheart go luath."

I bpreab na súl, tá Sinéad ina suí ar chathaoir sa seomra folctha, tuáille ar a guaillí agus síosúr ceart i lámh Mhamó.

"Ar mhaith leat rud ar bith, a thaisce," arsa Mamaí le Sinéad.

"Ba bhreá liom cupán tae agus brioscaí seacláide," arsa Sinéad.

"Fadhb ar bith!" arsa Mamaí, agus ní fada go bhfuil sí ar ais le cupán tae agus brioscaí seacláide do Shinéad.

An lá ina dhiaidh sin, agus í ar scoil arís, tá focail mholta le cloisteáil i seomra ranga Shinéad. Tá Sinéad ina seasamh i lár an tseomra agus í ar cipíní. Tá slua mór timpeall uirthi, iad ar cipíní freisin. Casann sí timpeall agus timpeall, mar a dhéanfadh mainicín.

"Ó, a Shinéad," a deir na páistí, "tá do ghruaig go hálainn. Oireann an stíl nua ghruaige duit. Tá na spící an-difriúil. Tá tú cosúil le pop-réalta. Álainn! Álainn!"

"Agus cé a ghearr do chuid gruaige duit?" arsa Bean Uí Bhriain léi.

"Mamó! Mo Mhamó!" arsa Sinéad go bródúil. "Is í mo Mhamó an gruagaire is fearr ar domhan, go háirithe nuair is stíl ghearr ghruaige le spící atá uait!"

An Masc

Is buachaill beag é Fionn. Is buachaill láidir é. Tá sé ceithre bliana d'aois agus sona sásta leis an saol. Tá gruaig fhionn air, é ag lonrú ar a chloigeann, agus bíonn miongháire ar a bhéal aige gach lá sa tseachtain.

Is breá leis *Spiderman*, cé go bhfuil eagla air féachaint ar an scannán leis féin! Agus tá an chulaith aige. Gorm agus dearg atá ann agus pictiúr de dhamhán alla ar a chliabh. Agus gréasán tríd síos, agus … agus … agus … tá masc aige freisin!

Caitheann Fionn an chulaith de ló is d'oíche. Tá deacracht ag Mamaí í a ní, ach déanann sí a dícheall í a ghoid ó am go ham.

Lá amháin, tarlaíonn tubaiste. Tá Fionn ar a laethanta saoire i gContae Chiarraí. Tugann Mamaí amach i mbád é chun an deilf, Fungi a fheiceáil. Álainn! Tá Fionn ag féachaint isteach san uisce nuair a thiteann an masc dá aghaidh, gan choinne, agus isteach leis san fharraige. Síos a imíonn sé faoi na tonnta. Síos, síos a imíonn sé. Síos, Síos, Síos!

"Mo mhasc! Mo mhasc!" a screadann sé os ard.

Beireann Mamaí greim ar Fhionn sula dtéann sé sa tóir air.

"Ta brón orm," arsa Mamaí leis. "Tá sé imithe, imithe go deo!"

Fionn bocht. Pléascann sé amach ag caoineadh. Tá a chroí briste. Níl aon mhaitheas i gculaith gan mhasc. Tá a fhios ag an míle páiste sin.

Déanann Mamaí iarracht Fionn a chur ar a shuaimhneas. Ceannaíonn sí seacláid dó. Ceannaíonn sí sú oráiste dó. Ceannaíonn sí bonnóg dó. Ach seacláid, sú oráiste, bonnóg nó míle rud eile, níl aon mhaith iontu. Suíonn Fionn. É ina thost. Deora ina shúile. Crith ina lámh bheag.

Sa bhaile arís, insíonn Fionn a scéal do Dhaidí. Leaidín beag brónach agus é gan a mhasc! Tá trua ag Daidí dó. Imríonn sé peil leis. Tugann sé go dtí an clós súgartha é. Léann sé scéalta deasa dó. Ach níl cuma ar Fhionn ach é ciúin smaointeach.

"Tá brón orm," arsa Daidí leis.

Bhuel, imíonn na míonna agus tagann an Nollaig. Tá feabhas tagtha ar Fhionn, cinnte dearfa. Ach ceapann Mamaí nach bhfuil an loinnir chéanna ina shúile aige.

Maidin Nollag, éiríonn Fionn agus ritheann

sé ar nós na gaoithe go dtí an seomra suí. Stróiceann sé an páipéar daite dá bhronntanas. Cad atá ann? Cad …? Gorm agus dearg … Sea! Culaith úr nua! Ach … cá bhfuil an masc? Cá bhfuil sé? Croí an bhuachalla briste. Deora móra sna súile aige. Cromann sé a cheann go brónach.

Ó! Beart eile, beart eile! É beag agus bídeach! B'fhéidir …? Agus a lámha beaga ag crith, osclaíonn Fionn an beart go mall. Cloiseann sé a chroí féin ag bualadh. Dúnann sé a shúile. Osclaíonn. Dúnann. Osclaíonn agus …

"Tá masc agam! Tá masc agam!" a bhéiceann sé agus é ar bís.

Léimeann Fionn go hard san aer agus gealann a aghaidh le háthas. I bpreab na súl, tá *Spiderman* ag eitilt ar fud an tí, é ag dreapadh na mballaí le scil.

I bhfad i bhfad i gcéin, áfach, ar thóin na farraige, tá masc ina luí leathchlúdaithe sa ghaineamh. Snámhann iasc mór ina threo agus sánn sé a shrón isteach ann.

"Hmm! Suimiúil!" arsa Fungi leis féin. "Bainfidh mé triail as seo!"

Cor Aisteach

Aimsir fhuar, aimsir fhliuch atá ann. Tá scamaill liatha ar foluain sa spéir agus, cé nach bhfuil sé ach a sé a chlog, tá na lampaí sráide ar lasadh cheana féin. Agus deireadh ag teacht le séasúr an fhómhair, tá an geimhreadh á fhógairt ag an aimsir ghruama seo.

Suíonn Seáinín cois tine, é deas teolaí, a bharraicíní á dtéamh ag na lasracha geala pramsacha. Tá sé compordach. Tá sé an-chompordach. Taitníonn an tréimhse seo den bhliain leis. Ní chuireann sé as dó go bhfuil an bháisteach ag titim de shíor, nó go bhfuil an ghaoth ag éirí níos nimhní, nó go bhfuil air fanacht istigh níos minice anois. Ní chuireann aon rud isteach ná amach air, mar Oíche Shamhna atá ann. Sea! Oíche Shamhna. Féile mhór na gCeilteach. Seo an uair a éalaíonn na sprideanna agus na taibhsí ón saol eile. Seo an uair a imríonn neacha neamhshaolta cleasanna inár measc. Seo an fhéile is fearr le Seáinín.

"An féidir liom ... an féidir liom an teach a réiteach d'Oíche Shamhna, le do thoil, le do thoil?" a impíonn sé ar Mhamaí. Feiceann

Mamaí an loinnir ina shúile. Cloiseann sí an corraí ina ghuth.

"Ar aghaidh leat," arsa Mamaí, "ach ná himir aon chleas orm. Níor mhaith liom feithidí gránna i mo leaba arís i mbliana. Is beag nár tháinig taom croí orm an bhliain seo caite nuair a rinne tú ..."

Ach, níl tásc ná tuairisc ar Sheáinín. Imíonn sé go dtí an áiléar ar nós na gaoithe agus beireann sé anuas maisiúcháin Oíche Shamhna. Wow! Tá an t-uafás aige! Soilse na bpuimcíní. Soilse na bpúcaí. Strillíní fada, dubh agus oráiste. Feithidí beaga boga bréagacha. Olann chadáis do na damháin alla plaisteacha agus éadaí bréige de gach sórt.

"Oíche Shamhna! Oíche Shamhna!" ar sé go sceitimíneach. "Sceoin agus scéin, draíocht agus mistéir, aghaidheanna fidile agus bia blasta. Oíche Shamhna! Oíche Shamhna!"

Tógann sé uair a chloig ar Sheáinín an teach a mhaisiú. Tá rudaí scanrúla aige i ngach seomra. Mamaí bhocht. Cloistear a scréachanna i bhfad is i gcéin. Tá sí scanraithe ina beatha ag na maisiúcháin uafásacha seo.

Suíonn Seáinín go foighneach os comhair na tine arís. Tá sé ag fanacht ar Dhaid. Go tobann, osclaítear an doras agus isteach le Daidí agus craobh na Samhna ina lámh aige. Ligeann Seáinín liú áthais as.

"Tá sí foirfe, a Dhaid, foirfe! An bhfuil an pota mór agat, agus an chré agus na clocha beaga agus –"

"Tóg go bog é," arsa Daid leis, "tá gach rud agam. Anois, cabhraigh liom an chraobh a shocrú sa phota. Maith an buachaill."

Cabhraíonn Seáinín le Daid agus, i bhfaiteadh na súl, tá craobh na Samhna ina seasamh i gcúinne an tseomra, í maisithe go galánta le soilse agus pictiúir scanrúla de chailleacha, de thaibhsí agus de phuimcíní gránna.

Tá Seáinín spíonta tar éis na hoibre go léir. Breathnaíonn sé amach an fhuinneog. Tugann sé faoi deara go bhfuil na mílte duilleog ag titim de na crainn, iad ag eitilt san aer agus ag spraoi leis an ngaoth aerach.

"Tá sprideanna beaga ag eitilt san aer," arsa Seáinín le Mamaí, agus é ag gáire. "Tá siad gléasta i ndearga agus ór agus buí."

"Tá súil agam gur sprideanna deasa iad agus nach mbeidh siad ag imirt cleasa orainn!" arsa Mamaí leis go magúil.

Ansin díreach, tosaíonn an guthán ag bualadh. Is é Liam, cara Sheáinín, atá ann.

"Buailfidh mé leat ag an seanchaisleán,"

arsa Liam le Seáinín. "Tá mé gléasta mar chnámharlach. Céard fútsa?"

"Níl mé réidh go fóill," arsa Seáinín. "Níl mé cinnte faoi mo fheisteas ach, b'fhéidir … b'fhéidir go gcaithfidh mé –"

"Bhuel, déan deifir, a bhuachaill, agus ná bí déanach," arsa Liam, agus é ag cur isteach ar chaint Sheáinín. "Tá plean agam. Sea, plean iontach!"

Agus fuadar faoi Sheáinín anois, tosaíonn sé ar é féin a ghléasadh. Tá na héadaí bréige leagtha amach go néata ar a leaba le seachtain anuas. Ach, cad a chaithfidh sé? Smaoiníonn sé ar feadh tamaill bhig. Tá sé deacair an rogha a dhéanamh. Dúnann sé a shúile agus leagann sé a lámh ar … ar … ar …

"Togha!" arsa Seáinín, agus a shúile ar oscailt anois aige. "Is mise Vaimpír Viní as an Transalváin!"

De luas lasrach, tá Seáinín – ó, gabh mo leithscéal, Vaimpír Viní - réidh don ócáid mhór. Aghaidh bhán, súile dorcha, fiacla géara ag gobadh amach as a bhéal … go hocrach! Clóca dubh ag titim go talamh, é ag clúdach a gheansaí agus a bhríste dubha. Druideann Seáinín i dtreo an scátháin agus breathnaíonn sé isteach ann. Nach uafásach an chuma atá air!

Tosaíonn sé ag drannadh, mar a bheadh ainmhí fíochmhar ann.

"Grrrrrr!" a deir sé lena scáil, é ag cur dath dearg ar a bheola agus ar a smig. Agus preabann sé siar uaidh féin.

"Foirfe! Tá seo foirfe!" ar seisean go lúcháireach.

Filleann Seáinín an clóca timpeall ar a chorp agus seasann sé go bródúil.

"Is mise Vaimpír Viní! Fan amach uaim, a chairde, nó is amhlaidh is measa daoibh é!"

Agus síos an staighre leis go beo. Is ar éigean a stopann sé chun slán a fhágáil le Mamaí agus Daid. Ach níl mórán ama aige. Oíche Shamhna atá ann.

Amach le Seáinín sa dorchadas. Laistigh de chúpla soicind, tá sé ar a bhealach, é ag rothaíocht i dtreo an chaisleáin. Deich nóiméad ina dhiaidh sin, tá sé ina sheasamh ag geata an chaisleáin. Ach, cá bhfuil Liam? Féachann Seáinín ar a uaireadóir. Tá sé a hocht a chlog. Fanann sé tamall. Ceathrú tar éis a hocht a chlog. Fanann sé tamall eile agus tamall eile fós. Tá Seáinín ag éirí rud beag fuar. Tá sé ag éirí tuirseach.

"A Liam," a bhéiceann Seáinín os ard, "cá bhfuil tú? Tá sé leathuair tar éis a hocht a chlog!"

Leis sin, cloiseann Seáinín macalla a ghutha féin ar ais chuige. Liam … mmm … uuu … rrr … log … og … og!

Cuireann an macalla faitíos air. Cuireann sé an croí ag crith ann.

'Cad a dhéanfaidh mé?' arsa Seáinín leis féin. 'Ní dóigh liom go bhfuil Liam anseo. Ní fiú fanacht … is dócha.'

Socraíonn sé ar dhul abhaile. Tá díomá air. Tá an-díomá air. Ach, ní luaithe a bhfuil a chos ar throitheán an rothair aige ná go gcloiseann sé scread. Éisteann sé go géar. Scread eile! Ag teacht ón gcaisleán atá sé. Féachann sé i dtreo an chaisleáin. Tá solas lag le feiscint i bhfuinneog ar an urlár íochtair. Múchtar an solas. Lastar arís é. Múchtar é. Lastar arís é. Sa deireadh, múchtar é agus fágtar múchta é.

"Ahá!" arsa Seáinín de bhéic. "Seo do phlean iontach, a Liam, an ea? Níl mise scanraithe agus tá mé ag teacht chun breith ort anois."

Leis sin, greadann sé leis suas an cosán dorcha, suas go dtí doras mór láidir an chaisleáin. Agus, creid nó ná creid, tá sé ar leathoscailt! Brúnn Seáinín i gcoinne an dorais agus osclaíonn sé go héasca. Isteach leis le fonn.

"Tar amach, a Liam," ar seisean, é sna tríthí gáire. "Cá bhfuil tú i bhfolach orm? Tar amach, a phleidhce, tar amach!"

Agus Seáinín ina sheasamh i lár an halla mhóir, tá sé báite ag solas na gealaí, é ag soilsiú trí fhuinneoga arda maorga an chaisleáin. Tugann Seáinín faoi deara go bhfuil staighre fada ag síneadh suas go dtí na réaltaí agus go bhfuil tinteán clochach suite go compordach sa chúinne. Áit lom atá ann. Níl pictiúr amháin, fiú, ar crochadh ar na ballaí. Áit uaigneach atá ann. Áit chiúin atá ann. An-chiúin.

Mothaíonn Seáinín míshuaimhneach. Ní maith leis an caisleán. Seasann an ghruaig ar chúl a mhuiníl. Ní maith leis an cluiche seo. Fáisceann sé a lámha ar a chéile. Tá fonn air dul abhaile.

"Muna dtagann tú amach láithreach, a rógaire," arsa Seáinín de chogar, "imeoidh mé liom abhaile."

Gan aon choinne leis, tosaíonn an caisleán ag crith. Éiríonn an torann níos glóraí agus níos glóraí. *Búm! Búm! Búm!*

Agus, i bhfaiteadh na súl, tá Seáinín tite ina chnap ar an urlár. Screadann sé le teann faitís. Ansin, mar bharr ar an donas, léimeann lasracha as an tinteán. Éiríonn siad níos airde agus níos rábaí. *Bhuaiss – bhuaiss – bhuaiss!*

Ach is measa fós an ní atá le teacht. Cloiseann

sé scigeareacht agus ansin, feiceann sé an radharc is scanrúla riamh. Tá cailleacha dubha agus púcaí bána ar snámh os a chionn, iad ag sclugaíl agus ag tutaíl, iad réidh chun ruathar a thabhairt anuas ar Sheáinín bocht.

Tá croí Sheáinín ina bhéal aige faoin am seo. Suíonn sé ar an urlár, é ina staic. Níl sé de chumas aige bogadh. Tagann líonrith air agus, ar ámharaí an tsaoil, éiríonn leis lámhacán a dhéanamh ar a ghlúine i dtreo an dorais.

Ach is buachaillín cróga é Seáinín. Feiceann sé go bhfuil an doras fós ar oscailt. Tá sé beagnach ann. Beagnach. Ach, cén gíoscán é seo? Dúntar an doras de phlab, agus, a thubaiste na dtubaistí, tá sé gafa. Gafa sa chaisleán leis féin.

Ligeann sé béic an uafáis as agus filleann sé a chlóca mór dubh timpeall air féin – mar chosaint, an uair seo.

"Áááááááá!" a screadann Seáinín go scáfar, agus casann an uile ní ina dhubh …

Is í caint Mhamaí a chuireann ar Sheáinín a shúile a oscailt. Feiceann sé í in aice leis. Daid freisin. Agus, nach aisteach é seo ach, tá sé sa bhaile, ina luí ag bun an staighre!

"Cad a tharla?" arsa Seáinín. "An bhfaca sibh … an bhfaca sibh …?" Ach, tá sé ró-lag. Tá sé ró-dheacair dó labhairt.

"A thaisce, a chroí," arsa Mamaí go cneasta, "nach mbím i gcónaí ag impí ort siúl go réidh síos staighre an tí?"

"Sciorr tú toisc an deifir a bhí ort as do sheomra leapa," a mhíníonn Daid dó, "agus bhuail tú do chloigeann ar an runga."

"Agus Liam …" arsa Seáinín, agus cuma imníoch air.

"Ná bí buartha faoi Liam," a deir Mamaí leis, "tháinig sé do do lorg agus, faoi láthair, tá sé sa chistin ag ithe cnónna, úlla, milseáin agus bairín breac!"

Seáinín bocht. Tá a cheann á scoilteadh. Tar éis don dochtúir imeacht, suíonn sé le Liam sa chistin, ach is beag bia a itheann sé. Níl aon ghoile aige. Féachann sé ar an gclog. Tá sé ródhéanach anois dul amach ag spraoi. Tá Oíche Shamhna thart. Ligeann sé osna as.

"Cad é an plean iontach a bhí agat?" a fhiafraíonn sé de Liam go fiosrach.

"Bhuel," arsa Liam, "bhí mé chun dul i bhfolach taobh thiar de chrann, cúpla scread a ligint asam agus …"

"Stop!" a screadann Seáinín os ard, "agus éist liom. Éist liom, a chara. Tá scéal agam duit. An scéal is scanrúla riamh!"

Agus an bheirt bhuachaillí deas teolaí in aice leis an tine, a mbarraicíní á dtéamh ag na lasracha geala, tosaíonn Seáinín ar a scéal.

"Fadó, fadó, bhí seanchaisleán ar imeall an bhaile ..."

Sneachta Sneachta Sneachta

An Geimhreadh atá ann. Tá na laethanta ag éirí níos fuaire agus níos giorra. Tá sioc san aer agus rian an tseaca le feiceáil ar an bhféar. Gach oíche agus Aoife ina leaba theolaí, tosnaíonn sí ar an mbrionglóideach faoi shneachta. Ní fhaca Aoife sneachta riamh ina saol, ach amháin i bpictiúr atá crochta ar bhalla bándearg a seomra leapa. Ó, ba bhreá léi an sneachta a fheiceáil. A lámh a chur sa sneachta. An sneachta a bhlaiseadh. A bheith ag rith sa sneachta. Sea! Sin í mian a croí.

"Ach cá bhfuil an sneachta?" a deir Aoife go mífhoighneach. "Seo é an séasúr ceart. Seo é an Geimhreadh!"

Ach, maidin i ndiaidh maidine, níl oiread agus calóg amháin, fiú, ina luí ar an talamh.

"An bhfuil a leithéid ann ar chor ar bith?" ar sise, agus ligeann sí osna bhróin aisti.

Oíche amháin, luíonn Aoife isteach sa leaba, í tuirseach tar éis an lá ar scoil, í traochta tar éis leathuair a chloig a chaitheamh ar obair bhaile! Is le fonn a léimeann sí isteach sa leaba mar braitheann sí fuacht an gheimhridh timpeall uirthi. Ní fada go bhfuil sí ina codladh go sámh.

Ní fada go bhfuil ciúnas iomlán ar fud an tí, ach amháin go bhfuil anáil Aoife le cloisteáil agus í ag brionglóideach.

"*Fuish … fuish …*, Sneachta-Sneachta! *Fuish … fuish.*" Is minic í ag caint le linn codlata di!

Nuair a dhúisíonn Aoife i rith na hoíche, braitheann sí an dorchadas mar a bheadh clóca dubh timpeall uirthi. Agus an blaincéad ar a guaillí aici, féachann sí amach an fhuinneag. Feiceann sí an ghealach gheal sa spéir. Feiceann sí na réaltaí ag glioscarnach mar a bheadh seoda ann. Feiceann sí … feiceann sí spota beag bán ag titim anuas ón spéir. Sea! Spota bán agus … spota eile agus … spota eile fós. Leathnaíonn a súile le hiontas. Líonann a croí le gairdeas. Léimeann sí le háthas. Ó, nach uirthi atá an gliondar!

"Yipí! Sneachta!" ar sise, i gciúnas a croí ar dtús. Ach, is mó an gliondar atá uirthi ná mar a léiríonn an 'yipí' ciúin sin!

"Yipííí!" ar sí den dara huaire. Ach, an uair seo, is liú ard fada a ligeann sí aisti.

De luas lasrach, gléasann sí í féin. Hata uirthi. Lámhainní uirthi. Buataisí uirthi. Agus, ar ndóigh, cóta mór uirthi. Síos an halla léi ar bharra a barraicíní. Osclaíonn sí an doras agus sleamhnaíonn sí amach sa ghairdín.

"Óra! Óra!" arsa Aoife go híseal. "Sneachta, sneachta, sneachta!"

Snámhann na calóga sneachta timpeall uirthi. Calóga boga bána ag damhsa go draíochta. Calóga beaga bána ag casadh, iad ag breith ar sholas na gealaí. Calóga boga bána ina luí ar an talamh. Seasann Aoife go ciúin ina lár uile, í ag déanamh iontais den radharc. Titeann an sneachta ar a srón. Titeann sé ar a leicne. Titeann sé ar a smig. Beireann sí greim ar chúpla calóg ina béal!

"Iúm, iúm!" ar sise, "blasta, blasta, blasta!"

Agus a lámha sínte amach aici, casann sí timpeall agus timpeall agus timpeall!

"Íííííííííí!" ar sise. "Féach orm! Tá mé bán ó bhun go barr!"

Siúlann sí ar an bhféar, gach coiscéim anois mar a bheadh sí ag siúl ar bhrioscáin. Agus an gairdín mór amach roimpi ina bhán, ritheann sí go tapa gliondrach.

"Yipí, yipí!" a ghlaonn sí amach os ard, "sneachta, sneachta, sneachta!"

De phlimp, titeann sí ina cnap ar an bhféar. Tá a srón sáite sa sneachta. Fuar! Brrrrrrr!

An-fhuar! Í ina seasamh arís, tugann sí aghaidh ar na luascáin. Suas-síos, suas-síos a théann sí. Tá gaoth an gheimhridh géar

nimhneach ina haghaidh, ach is cuma léi.
Sleamhnaíonn sí síos an sleamhnán. Faoi dhó!
Faoi thrí! Ach tá tuilleadh fós le déanamh.
Rollann sí ar an bhféar. Ligeann sí uirthi go
bhfuil sí ag snámh ann. Luíonn sí ar a droim, í
ag stánadh ar an sneachta ar snámh os a cionn.
Léimeann sí in airde athuair.

"Sneachta, sneachta, sneachta!" ar sí. "Phew!
Tá gach rud déanta agam anois ... nó an
bhfuil?? Gach rud déanta, go deimhin, ach
amháin an rud is tábhachtaí ... Fear Sneachta!"

Agus tosaíonn Aoife ar an sneachta a bhailiú
isteach ina dhá charn. Carn mór sneachta don
chorp. Carn beag don cheann. Clocha do na
súile agus don bhéal. Cairéad don tsrón. Agus
in imeacht deich nóiméad, tá an fear sneachta
déanta. Féachann sí air go bródúil.

"Tá tú go hálainn. Fíor-álainn!" ar sise.
"Anois, céard a thabharfaidh mé ort ar chor ar
bith? Micí? Ricí? Róló? Póló? Cnaipí? Sea! Sin é!
Cnaipí! Ó, is breá liom thú, a Chnaipí, a chroí!"
Agus beireann sí barróg mhór ar a cara nua.

Agus Aoife sna tríthí gáire, casann sí a droim
leis, í ag féachaint i dtreo an tí, í ag cinntiú nach
bhfuil éinne á cuardach.

"Agus céard faoi mo chuid éadaí?" a
chloiseann sí ó áit éigin, ó dhuine éigin atá

taobh thiar di. Casann Aoife go mall … mall … mall.

"Cé … cé … cé atá ann?" ar sise, de chogar.

Féachann sí timpeall an ghairdín – tada. Féachann sí suas sa spéir – tada. Féachann sí ar an teach – tada. Féachann sí ar an bhfear sneachta - tada. Tada, tada, tada, tada, tada!

Cuireann sí cluas le héisteacht uirthi féin. Deich soicind. Tríocha soicind. Nóiméad. Tada fós eile! Féachann sí ar an bhfear sneachta arís. An bhfuil sé difriúil? Bogann sí isteach níos gaire dó. Féachann sí go géar air. Tá na súile ait, amhail is go bhfuil réaltaí iontu. Mmm! Aisteach! Go mall … mall … mall, ardaíonn sí a lámh. Cloiseann sí a croí ag preabadh. *Ta-tum, ta-tum, ta-tum!* Leagann sí a lámh air. Cuimlíonn sí a aghaidh agus … aililiú, mura gcaochann sé leathshúil léi!

"Áááá!" a bhéiceann sí. "Ááááááááá!"

Cúlaíonn Aoife go mall … mall … mall.

"An … an tusa a labhair liom?" ar sise go stadach.

"Bhuel, cé eile ach mé! Ní fheiceann tú éinne eile anseo, an bhfeiceann? Ní amadán mé, bíodh a fhios agat. Tá caint agam, ar ndóigh!"

Stánann Aoife air, 's gan focal aisti. Fear sneachta ag caint! Fear sneachta ag caint … léise!

Tá sí sínte le hiontas.

"A Thiarcais," ar seisean, "is mise atá ann. Cnaipí! Nach bhfeiceann tú go bhfuil mé nocht? Faigh éadaí dom go beo, le do thoil. Tá a fhios ag Dia go bhfuil sé fuar a dhóthain dom mé a bheith i m'fhear sneachta. An ag iarraidh mé a phréachadh ar fad atá tú gan éadaí a chur orm?"

"Ó! Ó! Tá brón orm, a ... a Chnaipí!" arsa Aoife. Ritheann sí go dtí cúlhalla an tí agus tagann sí ar ais le hata dó.

"Faoi dheireadh!" ar seisean. "Braithim an fuacht na laethanta seo. Níl mé chomh óg is a bhíodh!"

"Ach," ar sise, "cad ... conas ... cé – "

"Á, ná bac leis na ceisteanna," arsa Cnaipí. "Is fearr liom a bheith ag spraoi ná a bheith ag caint. Cad is fearr leatsa a dhéanamh?"

Scairteann Aoife amach ag gáire.

"Spraoi, spraoi, spraoi!" a bhéiceann sí. "Dhera, tar liom, a Chnaipí. Lean mise. Lean mise!" Agus leanann sé í. Ar na luascáin. Ar an sleamhnán. Aon uair a rollann sé sa sneachta, éiríonn sé níos mó ná mar a bhí! Nuair a léimeann sé thar an tor, cailleann sé a chos. Ach déanann Aoife cos nua dó, gan dua ar bith. Beireann siad greim láimhe ar a chéile.

"Wíííííí," ar siad, ansin luascann siad timpeall agus timpeall agus timpeall.

"Wíííííííí," ar siad arís, "sneachta, sneachta, sneachta!" Agus imíonn an t-am i ngan fhios dóibh beirt.

Tar éis tamaill, suíonn siad chun féachaint ar a chéile. Tá giorra anála orthu beirt, ach braitheann Aoife an fuacht anois. Tosaíonn sí ag crith.

"Óra, a chailín," arsa Cnaipi, "an bhfuil tú fuar?"

"T-t-t-t-tá. Brr! Brr! Brr!" arsa Aoife.

Buaileann sé a lámha bána le chéile. Pléascann sneachta óna lámha agus séideann sé i gciorcal timpeall orthu, timpeall agus timpeall agus timpeall. Tagann mearbhall ar Aoife le girle guairle na gluaiseachta agus titeann sí go talamh.

"Seo duit mo scaif. Níl sé uaimse," arsa Cnaipí, agus é ag cabhrú léi seasamh arís.

"Scaif," arsa Aoife, "cá bhfuair tú an scaif?"

Ní fhreagraíonn Cnaipí í. Cuireann sé scaif dheas bhándearg timpeall ar a muineál agus caochann sé leathshúil léi.

"Tá brón orm. Caithfidh mé slán a rá leat," arsa Aoife leis. "Tá sé déanach agus tá scoil agam amárach."

Tagann meangadh gáire ar bhéal an fhir shneachta. Beireann Aoife barróg air go han-chúramach.

"Feicfidh mé ar maidin thú," ar sise, agus caitheann sí póigín leis.

Isteach léi sa teach. Suas an halla léi ar bharra a barraicíní arís. Isteach léi sa leaba go ciúin. Tá sí sona, tá sí sásta, tá sí suaimhneach. Agus tagann codladh na hoíche uirthi i ngan fhios di …

De chasadh boise, shílfeá, dúisíonn Aoife agus tá sé ina mhaidin. As an leaba agus trasna chun na fuinneoige léi, agus aililiú! Tá an domhan fós faoi bhrat bán sneachta. Ach is é an t-aon smaoineamh atá ina haigne aici ná labhairt le Cnaipí arís. Itheann sí a bricfeasta – go tapa. Réitíonn sí í féin don lá scoile – go han-tapa. Cuireann sé iontas ar Mhamaí nuair a fhógraíonn sí go bhfuil sí réidh. Níl sé ach leathuair tar éis a seacht. Ach ní deireann Aoife tada. Tá rún aici ina croí agus is léi an rún sin. Is léi féin an fear sneachta. Is léi féin Cnaipí agus níl sí chun é a roinnt le héinne. Níl, níl!

Brostaíonn sí amach sa ghairdín, í ag súil le Cnaipí a fheiceáil ach … cá bhfuil sé? Cá bhfuil sé? Cá bhfuil sé? Leáite? Ní féidir! Tá an aimsir fós an-fhuar. Ach, cé go bhféachann sí i ngach áit, níl sé le feiceáil. Tagann scamall ar a croí.

Tagann scamall ar a hanam. Cá bhfuil sé ar chor ar bith? Bhuel, nach uirthi atá díomá an domhain. Díomá! Díomá! Díomá!

"Caithfidh gur shamhlaigh mé an eachtra go léir," ar sise go brónach, agus casann sí ar ais i dtreo an tí chun a mála scoile a bhailiú.

Agus í ar tí an teach a fhágáil, glaonn Mamaí uirthi.

"A Aoife, fan nóiméad, a thaisce. Seo duit do hata. Beidh sé uait. Tá cuma shneachtúil fós ar an spéir."

Socraíonn Aoife an hata ar a ceann. Is cuma léi faoin bhfuacht anois.

"Agus do scaif," arsa Mamaí, "ná dean dearmad ar do scaif."

"Mo scaif!" arsa Aoife, agus iontas ar a glór. "Níl scaif agam. Ní raibh scaif agam riamh."

Beireann sí greim ar an scaif a chaitheann Mamaí léi. Stánann sí air. Stánann sí arís air. Scaif bhándearg atá ann. Seo an scaif a thug Cnaipí di. Tá sí cinnte de.

"Yipí! Yipí! Yipí!" a screadann sí amach os ard. Agus an scaif timpeall ar a muineál aici, tagann meangadh mór gáire ar a béal.

"A Chnaipí, a chroí," arsa Aoife de chogar, í ag breathnú amach ar an ngairdín atá ina bhán i gcónaí. "Beidh mé ar ais. Beimid ag spraoi arís

... anocht! Beimid ag rolladh sa sneachta agus ag luascadh timpeall agus timpeall agus timpeall le chéile."

Cloiseann sí Cnaipí ag canadh. Tá a ghuth mar a bheadh macalla ina cluasa aici.

"Go deimhin, a stór, go deimhin. Sneachta, sneachta, sneachta!"

"Íííííííííí," a bhéiceann Aoife, í ag pléascadh le sonas. "Sneachta, sneachta, sneachta!"

Agus ritheann sí ar scoil go sona séanmhar sásta.